i

LA NARRATIVA
DI
LUIGI PIRANDELLO

José Porrúa Turanzas, S.A.
EDICIONES

stuòia humanitatis

DIRECTED BY
BRUNO M. DAMIANI
The Catholic University of America

ADVISORY BOARD

LA NARRATIVA DI
LUIGI PIRANDELLO:
DALLE NOVELLE AL ROMANZO
«UNO, NESSUNO E CENTOMILA»

BY

MARIO ASTE

studia humanitatis

PUBLISHER, PRINTER AND DISTRIBUTOR
José Porrúa Turanzas, S. A.
Cea Bermúdez, 10 - Madrid-3
España

© *MARIO ASTE*

Dep. legal M. 11.869.-1979

I. S. B. N. 84-7317-080-6

IMPRESO EN ESPAÑA
PRINTED IN SPAIN

Ediciones José Porrúa Turanzas, S. A.
Cea Bermúdez, 10 - Madrid-3

TALLERES GRÁFICOS PORRÚA, S. A.
JOSÉ, 10 - MADRID-29

Alla mia carissima moglie
Dot

INDICE

La Tomba di Luigi Pirandello

PREFAZIO

Compito di questa composizione è quello di studiare la posizione del romanzo *Uno, Nessuno e Centomila* nell'opera pirandelliana e di analizzarne la problematica interna e lo stile. Lo studio si sofferma sulla vita e sulle opere di Pirandello con un richiamo particolare alle novelle ed una introduzione storica e tematica al romanzo.

Secondo le dichiarazioni dello stesso Pirandello il romanzo è in molti aspetti «il breviario» di tutta la sua opera letteraria, e «si presenta come il punto di confluenza dei motivi più caratteristici della novellistica pirandelliana e come il nucleo defluente della successiva problematica teatrale» (1). Queste affermazioni sicuramente giustificano uno studio comparativo soprattutto con le *Novelle per un anno*. Alcuni brani delle novelle, (principalmente *Risposta*; *La carriola*; *La trappola*; *Stefano Giogli, uno e due*; *Ritorno*; *Candelora*; *La difesa del Meola*; *Canta l'epistola*; *Alberti cittadini*; *I fortunati*.), che vengono ripetuti nel romanzo sono stati introdotti perchè direttamente o solo ideologicamente hanno influito Pirandello. In molti casi un confronto è stato necessario e si sono sottolineati i trasferimenti e le trasposizioni di parole e di concetti. Altri brani, presenti sia nel romanzo come nelle novelle, presentano invece dei cambi sostanziali e sviluppano e chiarificano temi appena accennati nelle novelle.

_____

(1) Giovanna Abete, *Il vero volto di Luigi Pirandello*. Roma, 1961, p. 152.

Nello studio dei temi si osserva la molteplicità della persona di Moscarda nel conflitto ricorrente della sua individualità e delle sue varie azioni, nel contrasto pazzia-coscienza e nel movimento dialettico disperazione-solitudine. Il problema della verità e della relatività apre poi le porte alla contemplazione dell'Assoluto, e Moscarda finalmente si immerge in una forma di panteismo che si scopre facilmente nelle ultime pagine del romanzo.

Quando Moscarda si contempla allo specchio interiore della propria coscienza, egli dovutamente e necessariamente vede illuminarsi di luce nuova la realtà oggettiva, soggettivamente intesa. Il soggettivismo di Moscarda rischiara la sua esistenza vista in forma di consistenza materiale e chiaramente interpretata nella terminologia che esprime il processo di «costruzione» e «determinazione.» Nell'interpretazione della tematica del romanzo è stato necessario, quasi per obbligo implicito, esaminare il dualismo arte-vita con particolare attenzione al rapporto vita-morte. Le ultime pagine della parte tematica dello studio si soffermano su un panorama piuttosto rapido degli aspetti esistenziali.

Nel terzo capitolo dello studio si è abbozzata un'analisi del linguaggio e dello stile di *Uno, Nessuno e Centomila*. Si è visto inoltre come lo stile del romanzo acquisti caratteristiche tutte particolari soprattutto nella descrizione dei personaggi, che man mano vengono presentati. È stato notato il rapido movimento del dialogo, della narrazione e del monologo interiore, elementi che conferiscono immediatezza al linguaggio del romanzo. La presenza di questi elementi stilistici avvicina il romanzo *Uno, Nessuno e Centomila* ai drammi di Pirandello, molti dei quali sono allo stesso tempo trasformazioni di novelle precedenti.

Nel romanzo Pirandello coglie le contradizioni intime del protagonista e lo conduce a uno stato ideale di liberazione, che esprime un legame intimo e necessario fra l'eternità sovrana della natura e l'instabile interiorità dell'uomo.

CAPITOLO PRIMO

A. PIRANDELLO

1. *Nota Biografica* (1)

Luigi Pirandello nacque a Girgenti il 28 giugno 1867 da Caterina Ricci-Gramitto e da Stefano. Il padre era di origine ligure, ma aveva partecipato nella sua giovinezza alle lotte politiche dell' unità d'Italia in qualità di garibaldino. La madre era siciliana e proveniva come il padre da famiglia patriottica (2).

Pirandello trascorre l'infanzia e la prima giovinezza ad Agrigento e a Porto Empedocle (3). Iniziò gli studi ad Agrigento e li continuò a Palermo dove si trasferì con la famiglia nel 1882 (4). Tra i sedici e i diciannove anni compose i primi versi di *Mal giocondo*, pubblicati

---

(1) I fatti biografici che riguardano la vita di Pirandello sono ampiamente illustrati da Federico Vittore Nardelli, *L'uomo segreto: Vita e croci di Luigi Pirandello*. Milano, 1932; e Gaspare Giudice, *Luigi Pirandello*. Torino, 1963. Per una cronologia delle opere di Pirandello si veda il lavoro di Manlio Lo Vecchio Musti, *Bibliografia di Pirandello*. Milano, 1952.

(2) Si veda al riguardo la seconda parte della novella *Colloquio coi personaggi* (1915).

(3) A questi anni d'infanzia il Nardelli fa risalire l'episodio della novella *La Madonnina* (1913).

(4) La data scelta è quella accettata dal Giudice; Manlio Lo Vecchio Musti accetta il 1880, secondo affermazioni dello stesso Pirandello.

nel 1889, che intrisi di «una giovanile ed inquieta amarezza,» (5) non escludono una certa aurea di classicismo, «che similmente a quanto avveniva nello spirito del Carducci, faceva rivivere le visioni classiche nel mondo contemporaneo» (6).

Ma già nel 1884 all'età di diciasette anni pubblicò la sua prima opera letteraria che ci sia finora nota: una composizione narrativa molto breve, *Capannetta* (1884) (7). Ottenuta la licenza liceale si iscrisse alla facoltà di lettere dell'Università di Palermo per poi trasferirsi a quella di Roma, dove fu allievo del filologo Ernesto Monaci; ma per un incidente col latinista Occioni, fu costretto a trasferirsi all'Università di Bonn, in Germania, dove si laureò in filologia con la tesi *Laute und Lautentwcklung der Mundart von Girgenti* nel 1891. Nello stesso tempo collaborò a diverse riviste letterarie tra cui *Vita nuova* di Firenze dove pubblicò il primo saggio critico *Petrarca a Colonia* nel 1889.

Poco dopo aver ricevuto la laurea rientrò in patria per motivi di salute e ruppe il fidanzamento con la cugina. Tre anni dopo, nel 1894, si sposò con Antonietta Pertulano da cui tra il 1895 e il 1899 ebbe tre figli: Stefano, Lietta e Fausto. Nel 1891 si stabilì a Roma e entrò in amicizia con Luigi Capuana e Ugo Fleres. Pubblicò i libri di versi *Pasqua di Gea* (1891), *Pier Gudrò* (1894), *Elegie Renane* (1895), e il volume di novelle *Amori senza amore* (1894) e l'importante saggio *Arte e coscienza d'oggi* (1893) e secondo quanto più tardi egli stesso affermò diede la prima stesura al romanzo *L'esclusa* (1893) e nel 1895 al secondo romanzo *Il turno*.

---

(5) Walter Starkie, *Luigi Pirandello*. London, 1963, p. 63.
(6) Gösta Andersson, *Arte e Teoria. Studi sulla poetica del giovane Luigi Pirandello*. Uppsala, 1966, p. 43.
(7) Ibi., op. cit., p. 19.

Nel 1895-96 collaborò con la rivista *La critica* diretta da Gino Monaldi e nel 1897 iniziò la sua collaborazione con la rivista *Marzocco*. Nel 1897 ottene l'incarico all'Istituto del Magistero (8). Nel 1898 pubblicò nella rivista *Ariel*, da lui fondata in collaborazione con Ugo Fleres e Giuseppe Mantica, nel medesimo anno, il primo testo teatrale *La morsa*, che rimase però di scarso valore. Nel 1901 (giugno-agosto) pubblicò a puntate sulla rivista *Tribuna* il romanzo *L'esclusa* e cominciò a raccogliere e a pubblicare in volume le varie novelle: *Amori senza amore* (1894), *Beffe della morte e della vita* (1902 la prima parte; 1903 la seconda parte), *Quando ero matto* (1903).

Il 1903 fu l'anno sventurato: la paralisi, prima, e la pazzia, poi, della moglie si aggiunse ad una stringente situazione finanziaria. Pirandello pensò in questa occasione seriamente al suicidio (9), ma la tentazione rientrò subito e con l'aiuto finanziario riccvuto dal magro stipendio di professore e dalla pubblicazione di varie novelle in *Marzocco* e in *Riviera Ligure*, riuscì a superare la prova. Forse alla base di questa esperienza scrisse il romanzo *Il Fu Mattia Pascal*, pubblicato nel 1904 da *Nuova Antologia*. L'originalissimo romanzo destò interesse anche fuori d'Italia e fu tradotto in diverse lingue (10). La pubblicazione di esso e il successo seguitone aprí le porte dell'editore Treves al nostro scrittore.

---

(8) Gaspare Giudice, op. cit., p. 148.
(9) Federico Vittore Nardelli, op. cit., p. 145.
(10) Per le traduzioni del romanzo *Il Fu Mattia Pascal* si consulti l'opera di Manlio Lo Vecchio Musti, *Bibliografia di Pirandello*; qui si pone un ordine cronologico alle varie traduzioni: Germania, Austria e Svizzera (1905); Francia e Belgio (1910); Inghilterra e U.S.A. (1923); Spagna (1924); Olanda, Svezia (1925); Danimarca, U.R.S.S. (1926); Iugoslavia (serbo-croato) (1927); Polonia (1928); Giappone (1928); Cile, Brasile, Portogallo (1933); Romania (1934); Cecoslovacchia, Estonia, Norvegia, Ungheria (1935); Argentina (1936); Iugoslavia (sloveno) (1943).

A partire dal 1903 l'attività di Pirandello si fa più intensa con una ricca produzione di novelle. Nel 1908 pubblicò il romanzo *Vecchi e giovani* sulla rivista letteraria *Rassegna contemporanea*. Nel medesimo anno Pirandello pubblicò i saggi critici *L'umorismo* e *L'arte e scienza*, i quali gli valsero la nomina a professore ordinario nell'Istituto Superiore di Magistero in Roma, il decreto di nomina porta la data dell'8 novembre 1908 (11). In questi saggi critici specie nel secondo si riconoscono senz'altro le influenze di Alfred Binet, di Giovanni Marchesini e di Gabriel Seailles (12).

Nel 1910 vennero rappresentate al Teatro Metastasio di Roma ad opera di Nino Martoglio gli atti unici *La morsa* e *Lumie di Sicilia*. Nel 1911 pubblicò presso la casa Treves *La vita nuda*, una raccolta di novelle e presso il Quattrini di Firenze il romanzo *Suo marito*, la cui seconda edizione riveduta apparirà postuma col titolo *Giustina Roncella nato Boggiolo* e nel 1912 la sua ultima raccolta di versi *Fuori di chiave* e la raccolta di novelle *Terzetti*. Tra il 1914 e 1915 scrisse il romanzo *Si gira...*, ora intitolato *Quaderni di Serafino Gubbio operatore* e pubblicò un'altra raccolta di novelle *La trappola* (1915).

Il 24 maggio del 1915 intervenne la dichiarazione di guerra ed il figlio Stefano nel luglio del medesimo anno fu costretto a partire per il fronte, dove venne fatto prigioniero. Anche l'altro figlio, Fausto, partí volontario. La partenza di Stefano coincise con l'aggravarsi della malattia della moglie, che si isolava sempre più in un mondo di solitudine scontrosa e di gelosia. Nel frattempo ad Agrigento muore la madre e Pirandello nella solitudine della sua stanza cerca rifugio nei ricordi lontani e presenti allo stesso tempo (13).

---

(11) Gaspare Giudice, op. cit., p. 233.
(12) Gösta Andersson, op. cit., p. 142.
(13) Gaspare Giudice, op. cit., pp. 273-274. Si veda anche la prima parte della novella *Colloquio coi personaggi*.

Il 1916 fu l'anno dello sconforto e della solitudine ma quando tutto sembra per andare di male in peggio Angelo Musco porta al successo nel Teatro Nazionale di Roma *Pensaci Giacomino...*, una commedia ricavata dalla omonima novella del 1910. Incoraggiato da questo fatto Pirandello scrisse altre opere per il teatro *Liolà* (1917) e *Il beretto a sonagli* (1917), rappresentate dal Musco. Nel 1917 intensificò la sua produzione teatrale e a Milano venne rappresentata al Teatro Olimpia dalla compagnia di Virgilio Talli *Così è (se vi pare)* tratta dalla novella *La signora Frola e il signor Ponza suo genero* (1915).

Tra il 1917 e il 1920 si susseguirono i primi successi teatrali. Nel 1920 avvenne il primo incontro di Pirandello col cinematografo: Mario Canerini girò la prima versione cinematografica di *Ma non è una cosa seria.* Nel 1920 l'autore abbandonò la casa editrice Treves per la Bemporad di Firenze, a cui venne affidata l'edizione delle sue opere. Nel 1921 la compagnia Niccodemi rappresentò al Teatro Valle di Roma *Sei personaggi in cerca d'autore,* che suscitò contrasti nella critica e nel pubblico. Nel 1921, per mezzo di Pitoeff, arrivò il successo parigino di *Sei personaggi.* Nel 1922 apparve l'*Enrico IV*, e mentre altre opere entrarono con successo nel repertorio di compagnie teatrali italiane, a Londra e a New York venne rappresentata con successo *Sei personaggi in cerca d'autore* (14).

Nello stesso anno Adriano Tilgher, amico e ammiratore di Pirandello, pubblicò *Studi sul teatro contemporaneo*, opera questa di importanza fondamentale per la critica pirandelliana (15). Negli anni successivi Pirandello scrisse diverse commedie, poche novelle e il romanzo *Uno, Nessuno e Centomila*, pubblicato nel

---

(14) Gaspare Giudice, op. cit., p. 305.
(15) Ibi., op. cit., pp. 386-399 passim.

1925-26 su *Fiera Letteraria*. Nel 1925 in collaborazione con un gruppo di giovani scrittori, tra cui il figlio Stefano, fondò il Teatro dell'Arte e ne assunse la direzione artistica. Coi due grandi interpreti della sua arte: Marta Abba e Ruggiero Ruggeri intraprese una serie di «tournees» per l'Europa e per l'America (16). I successi internazionali si susseguirono a catena e con essi anche la narrativa raggiunse una dimensione mondiale.

Nel 1929 ormai universalmente famoso venne nominato accademico d'Italia. Nel 1930 seguí ad Hollywood le riprese del film *Come tu mi vuoi*, interpretato da Greta Garbo. Nel 1933 scrisse e pubblicò *Quando si è qualcuno*, con forti tendenze autobiografiche. Nel 1934 ricevette il Premio Nobel. Nel medessimo anno fu inoltre a Roma presidente del quarto convegno della Fondazione Volta e parlò sul tema il Teatro Drammatico, in tale occasione diresse una eccezionale rappresentazione della Figlia d'Iorio di D'Annunzio con Marta Abba e Ruggiero Ruggeri.

Negli ultimi anni della sua vita ritornò alle novelle e ne scrisse una delle più belle *Una giornata* (1936). Una sua commedia rimase incompiuta *I giganti della montagna* e fu terminata dal figlio Stefano. L'ultimo suo lavoro fu una serie di dialoghi per una edizione cinematografica del romanzo *Il Fu Mattia Pascal*. Appunto per questa impresa uscendo una sera da uno degli stabilimenti di Cinecittà si ammalò, per negligenza, di polmonite, e di essa morì il 10 dicembre 1936. Dopo la seconda guerra mondiale si ridestò in tutto il mondo l'interesse per l'opera pirandelliana e a parere di Lo Vecchio Musti, nuove pubblicazioni e traduzioni dello scrittore siciliano si susseguono in edizioni sempre esaurite (17).

---

(16) Ibi., op. cit., pp. 479-492 passim.
(17) Introduzione di Manlio Lo Vecchio Musti alla edizione delle

2. I Tempi

Con la pubblicazione del libro *Teatro contemporaneo* nel 1872 Luigi Capuana (1839-1915) introduce in Italia il naturalismo d'otralpi (18). Le teorie francesi peró assumono nella peninsola italiana il nome di «verismo», perchè si pone la verità alla base di ogni descrizione delle situazioni umane e sociali. Si pensano qui le note parole del De Sanctis nel 1879, «nelle lingue del popolo, più vicino alla natura che ha passioni più vive, che ha impressioni immediate, e che deriva il suo linguaggio non dalle regole, ma dalle impressioni... l'artista cercherà e si approprierà tutto quel tesoro di immagini, di movenze, di proverbi, di sentenze, tutta quella maniera accorciata, viva, spigliata, rapida, che è nei dialetti» (19).

Con Giovanni Verga (20) (1840-1922) il verismo raggiunge il suo apice e compie una nuova funzione morale e sociale in Italia attraverso l'influenza esercitata dai suoi capolavori: *Vita dei campi* (1880), *I Malavoglia* (1881), *Novelle rusticane* (1882), e *Mastro Don Gesualdo* (1889). Per capirne il profondo significato e la forza d'ispirazione negli scrittori successivi (21) il verismo va inoltre studiato in relazione alla situazione nazionale e alla nuova valutazione delle particolarità regionali (22).

Opere complete di Pirandello nella collana «I classici contemporanei» della casa editrice Mondadori.

(18) Luigi Russo, *Giovanni Verga*. Bari, 1959; vede nel libro di Luigi Capuana il manifesto del verismo. Si veda pure di Luigi Capuana, *Gli «ismi» contemporanei: verismo, simbolismo, idealismo, cosmopolitismo*. Catania, 1898.

(19) Francesco De Sanctis citato da Francesco Flora, *Storia della letteratura italiana*, 5 vols. Milano, 1965, p. 357.

(20) René Ternois, «Zola et Verga» *Les cahiers naturalistes*, 14, vol. VI (160), pp. 561-564.

(21) Cfr. Luigi Russo, *Narratori: 1850-1957*. Milano, 1958.

(22) Cfr. Roberto Alonge, *Pirandello tra realismo e mistificazione*. Napoli, 1972; che ha diversi capitoli riguardanti la produzione

L'opera giovanile di Luigi Pirandello riflette le esperienze artistiche e letterarie del Verga (23), e allo stesso tempo egli manifesta un più specifico interesse per le teorie filosofiche e psicologiche del tempo (24). Il vivo entusiasmo per le forme della scienza positiva che si rivela nei risultati della psicologia empirica (25) è riscontrabile nelle opere della sua maturità artistica dove sotto la tecnica del verismo si avverte una visione del mondo più tormentata (26). Dinanzi alla certezza scientifica del positivismo, Pirandello, per una interessante coerenza, che spinge a conciliare le tendenze positivistiche con una concezione di fondamentale impronta spiritualistica, si orienta verso lo studio dell'uomo. Egli a conclusione di questa sua tendenza e del travaglio interiore sviluppa la sua concezione relativis-

pirandelliana, come: mistificazione dialettica di classe; le novelle siciliane; le novelle romane; il dramma borghese, tensioni conflittuali e dissoluzione; la prima produzione teatrale (16-20); la seconda produzione teatrale (21-24); le ultime novelle. Cfr. anche Aurelio Navarria, *Pirandello prima e dopo*. Milano, 1971; che discute l'opera poetica di Pirandello, le prime narrazioni e le relazioni tra Capuana e il nostro autore.

(23) Marco Boni, «La formazione letteraria di Luigi Pirandello» *Convivium*, 1948. Emilia Mirmina, *Pirandello novelliere*. Ravenna, 1973. «L'adesione ai temi ed interessi veristi abbia carattere tutto particolare, per il quale il nostro autore si distanzia dal verismo: il suo infatti non è mai un discorso impostato sugli oggetti, sui temi per sé stessi; ed anche quando par di notarvi una compiacenza del dato realistico, se si osserva meglio, si accorge che essa è soltanto illusoria», p. 36.

(24) Gösta Anderson, op. cit., p. 144. Carlo Salinari, *Miti e coscienza del decadentismo italiano*. Milano, 1962, pp. 275-279. Fa coincidere il passaggio di Pirandello oltre il verismo all'inizio della sua attività narrativa, quantunque ritiene che elementi naturalistici siano presenti in tutte le opere del nostro autore anche nella piena maturità narrativa, specialmente nella descrizione di temi: vecchiaia, morte, pazzia, etc.; ambienti sordidi; descrizioni di tratti fisici e deformazioni disgustanti.

(25) Luigi Ferrante, *Pirandello*. Firenze, 1958, pp. 23-24.

(26) Oreste Allavena, *Pirandello. Dalla narrativa al dramma*. Savona, 1970, p. 24.

tica e studia la maschera sociale, di cui l'uomo per una iposcrisia interiore è vittima.

Nello studio dei problemi che travagliano l'anima moderna Pirandello giunge ad una visione della realtà, e l'uomo visto in relazione alla crisi del tempo diventa il tema preferito della sua opera. Lo scrittore osserva le infinite complicazioni psicologiche, con gli irrazionali assurdi esistenziali, che appaiono nell'uomo, vittima delle convenzioni sociali e dei suoi stessi pregiudizi (27).

Il pensiero di Pirandello «si trova all'opposizione dello stesso movimento intellettuale, che costituisce l'episodio culturale più cospicuo di quegli anni che attraverso la liquidazione del positivismo approda ad un idealismo ottimistico, a un spiritualismo sospiroso e dolciastro, o a un scetticismo e pessimismo di maniera, ovattato e crepuscolare. Egli partecipa certamente alla dissoluzione del positivismo e all'affermarsi di esigenze spiritualistiche e idealistiche. Ma egli ripugna profondamente dal modo come l'idealismo e lo spiritualismo venivano affermandosi in Italia. Ripugna anche profondamente alla corrente di pensiero che ebbe maggior peso nella rinascita dell'idealismo e nella sconfitta del positivismo, vale a dire allo storicismo crociano» (28).

Croce nel periodo storico tra le due guerre mondiali era infatti con D'Annunzio rappresentante della cultura nazionale. Pirandello, a cui mancavano la musicalità dell'uno e l'esteticità dell'altro, rimase «un problema ai suoi contemporanei, almeno in Italia» (29). «Pirandello infatti —a quanto scrive il Mirmina— esprime il tormento esistenziale del novecento proprio nella sofferente desolazione dei suoi personaggi, che lamentano insistentemente la perduta consistenza della

---

(27) Giuseppe Giacalone, *Luigi Pirandello*. Brescia, 1966, p. 7.
(28) Carlo Salinari, op. cit., p. 272.
(29) Giuseppe Giacalone, op. cit., p. 9.

ragione, sottolineando la labilità dello loro consapevolezza, perduti, come smarriti, in una appassionata ricerca della verità, e capaci di trovar invece neppur sol una volta, ma tante verità ugualmente trascoloranti, nelle quali si frantuma e si scompone continuamente la loro esperienza, la loro possibilità di sapere, in una disperazione che è sempre ai margini della pazzia, e che è follia dolorosa, inammovabile, che corrode ogni illusione d'intesa sociale e d'intelligenza oggettiva delle cose, nella esasperante e immutevole inconsistenza di ogni realtà» (30).

Oggi più che ieri si vedono peró i temi che nella sua opera hanno «anticipato i drammi dell'uomo moderno: angoscia esistenziale, incommunicabilità umana, alienazione dell'io, irrazionalità e assurdi della vita, ansia di purezza in un mondo corrotto, ricerca di un approdo» (31). Pirandello segue cosí una poetica, che parte dall'osservazione attenta della realtà ma allo stesso tempo si orienta verso una visione della vita, che è studio sempre più acuto e profondo dell'anima umana.

3. Le Novelle

L'attività novellistica di Pirandello inizia nel 1884 con il bozzetto siciliano la Capannetta e continua con le prime raccolte del 1894 Amori senza amore. Sino agli ultimi giorni della sua vita continua a scrivere novelle e avrebbe voluto scriverne 365, quanti sono i giorni dell'anno, ma purtroppo il numero si è fermato a 246 (32).

---

(30) Emilia Mirmina, op. cit., p. 76.
(31) Giuseppe Giacalone, op. cit., p. 10.
(32) Al momento attuale le Novelle sono raccolte in due volume: Novelle per un anno nell'edizione Mondadori delle Opere. Già precedentemente Pirandello le aveva raggruppate in vari volumi. Le prime raccolte si trovano in ordine cronologico in la Bibliografia di Pirandello di Manlio Lo Vecchio Musti tra le pp. 105-115. Le ultime raccolte in 15 volumi curate da Pirandello stesso sono: Scialle nero; Vita nuda; La rallegrata; L'uomo solo; La mosca; Il silenzio; Tutte

Quantunque Pirandello sia diventato famoso con le sue commedie, le sue novelle occupano un posto molto importante nella sua opera.

Scopo dello studio presente è di mettere in relazione dal punto di vista tematico e stilistico alcune delle novelle e il romanzo *Uno, Nessuno e Centomila* (33). Per quanto riguarda ogni data e nota cronologica si farà continuo riferimento al lavoro di Manlio Lo Vecchio Musti, *Bibliografia di Pirandello*, II ed., Milano, 1952.

Se da una parte non è facile indicare nelle novelle la evoluzione del pensiero pirandelliano è d'altra parte facile vedere in esse una notevole continuità tematica. I temi e spesso la trama di alcune di esse sono a loro volta motivo e base di successive opere drammatiche come *La giara, Lumie di Sicilia* ed altre (34). «Le novelle —come scrive Ferrara— costituiscono il «mare magnum» del mondo pirandelliano, da cui trae alimento, anche parte del teatro; e non soltanto per quelle commedie che si richiamano a una vena regionale e mantengono, nella più complicata dialettica teatrale, una freschezza d'impianto isolano, ma pur quelle nelle quali trova compiuta espressione il caratteristico con-

---

e tre; *Dal naso al cielo; Donna Mimma; Il vecchio Dio; La giara; Il viaggio; Candelora; Berecche e la guerra; Una giornata.*

(33) Giuseppe Giacalone, op. cit., «La storia delle novelle pirandelliane coincide con la storia dello stesso Pirandello in quanto trascrive tutte le sue esperienze di pensatore e di scrittore.... Però bisogna anche rilevare che.... la sua attività di drammaturgo e di romanziere influenzò la sua attività di novelliere, come è possibile notare in alcune novelle. È vero che il dramma pirandelliano è già implicito nelle facoltà inventive e dialogiche che egli rivelò nelle novelle e nei romanzi, ma è vero anche che alcune novelle sono veri e propri tentativi schematici e strutturali di drammi.... è il caso della novella *Risposta*, in cui la trama narrativa si risolve in schemi, in didascalie, in atti e conclusioni, come un insieme di appunti per un'opera da presentare in teatro,» p. 101.

(34) Un elenco delle commedie derivate dalle novelle si trova nella Appendice B. del presente studio.

trasto tra «la maschera e il volto,» tra la Vita e la Forma, com'è di *Così è se vi pare; Il berretto a sonagli; Come prima, meglio di prima;* e fin dei *Sei personaggi* si può trovare uno spunto lontano della novella *La tragedia di un personaggio* (1915)» (35).

Parecchie pagine delle *Novelle per un anno* hanno carattere documentario per i fatti narrati. Se si considera che la produzione novellistica ha occupato tutta la vita artistica di Pirandello risulta utile uno studio che stabilisca un rapporto con altre opere dello scrittore. La prima produzione novellistica gira essenzialmente attorno a due ambienti quello cittadino —borghese e quello siciliano— campestre. Gli ambienti di Roma e di Sicilia animano la struttura di alcune novelle, assieme ad altri fondamentali temi di contenuto sociale.

Lumie di Sicilia (1900) esprime la contrapposizione dei due mondi: l'uno naturale dell'ingenuità campagnola tradita e l'altro fatto di vanità e corruzione cittadina. *La balia* (1903) contrappone il dramma della contadina semplice alla indifferenza della famiglia romana. *Marsina stretta* (1901) ironeggia il pregiudizio borghese, come *Tanino e Tanotto* (1902) e *Come gemelle* (1902); una satira feroce del valore ufficiale e della retorica dell'eroismo si trova in *Al valor civile* (1901).

Il tema dell'abbandono amoroso è presentato nella *Maestrina Boccarmé* (1899), *Nel segno* (1904) invece il dramma passionale travolge la povera ragazza che sconvolta dalla passione amorosa si uccide. La disperazione e il suicidio è presente in *E due* (1901) dove un passante si uccide gettandosi nel fiume alla vista di uno che sta facendo altrettanto. La disperazione e il suicidio ritornano nel gesto solitario del ragazzo che si uccide

---

(35) Mario Ferrara, *Luigi Pirandello. Profilo storico.* Roma, 1968. p. 50.

col fratellino per ribellarsi alla società nella novella *In silenzio* (1905).

Accanto a questi motivi di sofferenza umana e di crisi della società si sente in altre novelle del periodo in considerazione un senso profondo dell'immensità misteriosa dell'universo e il tema della morte. In *Il giardinetto lassù* (1897) il tema della morte è accompagnato da una rassegnazione mite e serena e dalla contemplazione della natura. *Visitare gli infermi* (1896) presenta la morte in relazione ad una estraneità sociale mentre in *La mosca* (1904) la morte è violenta e improvvisa, in *Se...* (1898) appare attraverso il dubbio della sorte e in *Prima notte* (1900) nella notte stellata e nel silenzio delle lacrime e delle parole (36).

Accanto agli elementi sopra accennati sono inoltre presenti già situazioni caratteristiche di contrasto che pur facendo muovere al riso fanno anche rabbrividire per la tragicità della condizione umana, che rappresentano e con diverse tonalità uniscono, come per un motivo patetico, le creature nel sentimento del «contrario.» Il «contrario» significa «andare piú addentro» nella conoscenza dell'animo altrui per cercare «la ragione degli altri» e determinare cosí le singolari situazioni dei vari personaggi, come appare nel brano dell'*Umorismo* (37) dove Pirandello presenta il personaggio della vecchietta:

---

(36) Altre novelle di questo periodo sono tra le migliori: *Con altri occhi* (1901); *Il marito di mia moglie* (1903); *Senza malizia* (1905); *Di guardia* (1905); *La casa del Granella* (1905); *Le sorprese della scienza* (1905); *Il sonno del vecchio* (1906); *La toccatina* (1906); *Richiamo all'obbligo* (1906); *Tutto per bene* (1906); *La corona* (1907); *Un cavallo nella luna* (1907); *Volare* (1907); *La cassa riposta* (1907); *Difesa del Meola* (1909); *Mondo di carta* (1909); *L'illustre estinto* (1909).

(37) Jorn Moestrup, *The structural pattern of Pirandello's work.* Odense, 1972. «.... the most important of his theorethical works.... not so much because of its contribution to one's understanding of the concept of humour, but because of its relevance to Pirandello's writing in this period. «L'umorismo» can be defined as an indirect

Vedo una vecchia signora, coi capelli ritinti, tutti uniti non si sa di quale orribile mantaca, e poi tutta goffamente imbellettata e parata d'abito giovanile. Mi metto a ridere. Avverto che quella vecchia signora è il contrario di ció che una vecchia rispettabile signora dovrebbe essere. Posso cosí a prima giunta superficialmente, arrestarmi a questa impressione comica. Il comico è appunto un avvertimento del contrario. Ma se ora interviene in me la riflessione, e mi suggerisce che quella vecchia signora non prova forse nessun piacere a pararsi cosí come un papagallo, ma forse ne soffre e lo fa soltanto perché pietosamente s'inganna che, parata cosí nascondendo le rughe e le canizie, riesce a trattenere a sé l'amore del marito molto piú giovane di lei ecco che io non posso piú ridere come prima, perché appunto la riflessione, lavorando in me, mi ha fatto andare oltre a quel primo avvertimento, o piuttosto piú addentro: da quel primo avvertimento del contrario mi ha fatto passare a questo sentimento del contrario. Ed è qui tutta la differenza tra il comico e l'umoristico.

In questo brano si deve considerare il processo conoscitivo che non si ferma all'apparenza; andando nel piú profondo dell'anima altrui Pirandello conosce i suoi personaggi veramente e interamente, nelle pieghe piú remote del loro essere e a loro si identifica.

La crisi del 1903 introduce infatti una visione nuova. «Dallo scenario oggettivo della pena umana, scoperta e figurata in una crisi dei patti sociali e nella conseguente solitudine dell'uomo, cominciano a isolarsi i primi motivi della meditazione pirandelliana» (38). Gli oggetti e le scene delle descrizioni successive dopo

---

attempt at creating a theorethical basis for his own work, indirect because Pirandello at no time says clearly that his analysis refers to his own production,» p. 61.

(38) A. Leone De Castris, *Storia di Pirandello*. Bari, 1962, p. 71.

essere passate attraverso la meditazione, di cui parla il De Castris, introducono una problematica nuova che è orientamento verso una piú intensa soggetività creativa. Gli anni tra il 1904 e il 1908 sono un periodo di transizione per quanto riguarda la produzione novellistica, abbastanza limitata da come appare nella *Bibliografia* di Manlio Lo Vecchio Musti.

Tra le novelle di questo periodo va ricordata *Fuoco alla paglia* (1904) che è contemporanea a *Il Fu Mattia Pascal* e ne ripete il tema di liberazione intima, l'uomo si libera dalle forme della prigione sociale e vive spontaneamente nel clima puro della natura rigeneratrice. *Tirocinio* (1905) presenta invece la paradossale vicenda dell'uomo che assume la sua parte nella società. La novella *Tutto per bene* (1906) introduce la crisi della società borghese con toni coloriti e piccanti. *La cassa riposta* (1907) è invece il ritorno da parte di Pirandello alla terra d'origine perché egli penetra attraverso la novella nei sentimenti della realtà sociale in cui era cresciuto.

Dopo la novellistica degli anni 1904-1908, anni peraltro fruttuosi per la pubblicazione del *Fu Mattia Pascal* (1904), *Vecchi e giovani* (1908), *Umorismo* (1908), *Arte e scienza* (1908), Pirandello ritorna alle novelle con maggiore insistenza sui temi umani che lo agitano.

Nelle novelle del periodo 1908-1916 Pirandello osserva l'individualità umana piú da vicino con occhio da scrutatore profondo. Egli coglie i primi sintomi della civiltà di massa nel cadere dei valori borghesi e li presenta ai suoi lettori in fase di dissolvimento. I sintomi di decadenza e di accresciuta stanchezza, con l'alienazione che ne deriva, sono resi spesso in modo pungente da Pirandello. Egli con lavoro accanito, con tutta la sua sensibilità e col suo pensiero scava nella realtà familiare e sociale e la presenta viva e palpitante nel dramma delle sue creature.

Tra queste novelle (1908-1916) vanno ricordate *Ma*

non è una cosa seria (1909), che describe la bestia in noi e la frantumazione della personalità. Il tema dei «centomila» in uno è infine antecipato in una forma piú dettagliata nella novella *Stefano Giogli, uno e due* (1909) dopo essere annunciato in forma ridotta nel romanzo *Il Fu Mattia Pascal*. Il tema centrale di *Uno, Nessuno e Centomila* doveva perciò occupare la mente di Pirandello già negli anni di lavoro attorno alla novella e al romanzo accennato, rispettivamente nel 1909 e nel 1904. Già in questi testi il personaggio pirandelliano presenta la propria perplessità e il paradosso delle proprie avventure.

Nella novella *Nel gorgo* (1913) Pirandello esprime inoltre la frattura della coscienza umana attraverso una inconfessabile passione; la frattura dovuta alla religiosità indistinta e primitiva del personaggio è palese nella novella *L'Ave Maria di Bobbio* (1912). Altre novelle presentano il protagonista immerso in una lotta bivalente tra «essere» e «parere» e desiderio di libertà nell' accettazione di una libertà aliena all'uomo come in *Leviamoci questo pensiero* (1910) e *Il treno ha fischiato* (1914).

Uno studio profondo e sottile della psicologia umana appare nelle novelle del periodo 1908-1916 soprattutto in *La tragedia di un personaggio* (1915) e *Colloquio coi personaggi* (1915). Il dramma del personaggio visto in una dimensione psicologica appare inoltre nella *Trappola* (1912), oppure nella *Carriola* (1916), dove il protagonista vive come tra sogno e paura nell'azione pazzesca di un attimo.

Negli anni del periodo 1908-1916 nascono anche *Berecche e la guerra* (1914) che parla del crollo delle idee politiche; *Il lume dell'altra casa* (1909) che dà l'immagine dell'uomo esiliato e *Canta l'epistola* (1911) in cui il protagonista svanisce nell'infinito della natura alla ricerca dell'amore e della vita universale; da non dimenticare *Pena di vivere cosí* (1920) la piú compiuta delle novelle pirandelliane dove lo schianto tra essere e non essere si identifica in una fuga senza ritorno.

La tematica di fondo delle novelle or ora accennate va trovata nella considerazione della vita dell'individuo continuamente alla ricerca di un sistema di rapporto con la società circostante. La necessità del rapporto richiede lo studio costante dell'intimo dell'essere umano, in cui si scopre inevitabilmente la forza sempre mutevole dell'io. Pirandello ovvia a questa situazione ponendo le realtà delle creazioni artistiche e le consistenza dei personaggi al di là del fatto per i quali vivono e sono creati.

Accanto alle novelle che sviluppano i temi sopra enunciati ci sono novelle che introducono il ritorno alla terra natale, a cui Pirandello si sentiva magicamente attratto e legato: *La giara* (1909), *Donna Mimma* (1916), *Il capretto nero* (1913).

La vivacità del dialogo e l'immediatezza del gesto e delle parole osservate in maggior parte delle novelle, preparano i grandi drammi a partire dal 1915-1916 e i successi teatrali. All'intensa attività creativa del teatro corrispondono una stasi della produzione novellistica, ripresa soltanto negli ultimi anni della vita tra il 1931 e il 1936, e la formazione del romanzo *Uno, Nessuno e Centomila*.

Nel decennio 1916-1926 si verificano i successi teatrali e la pubblicazione del romanzo *Uno, Nessuno e Centomila*. La poca produzione novellistica del periodo s'avvicina alle forme del teatro con un concentrarsi verso il fatto scenico, come nelle novelle *Il pipistrello* (1919) e *La morte adosso* (1918) (39).

Verso la fine della sua vita Pirandello sente un desiderio di ritorno alle novelle (1926-1936). Tra le ultime

---

(39) Giuseppe Giacalone, op. cit., p. 101.

novelle si ricordi la leggerezza assorta e vagante di *Un'idea* (1934) e l'atmosfera accesa di *Pubertà* (1926) oppure la tragica irresponsabilitá, la meravigliata sproporzione dell'inconscio in *Cinci* (1932) e *Chiodo* (1936), e la sequenza di morte in *Soffio* (1931). Nelle novelle di questo periodo la condizione tragica delle creature pirandelliane e dei personaggi è contemplata nel momento irrevocabile del loro esilio alienato. *Di sera un geranio* (1934) conferma il senso di prigionia ed il desiderio di evasione a cui i personaggi pirandelliani sono sottoposti nella soglia estrema della loro vita. L'ultima novella dello scrittore è *Una giornata* (1936). Qui l'esame del passato svanisce come il presente ed il poeta si schiude in sé stesso senza potersi riconoscere; allo stesso tempo sente il suo corpo estraneo e nei suoi occhi che vede nello specchio della propia anima, comprende tutto il terrore e la condanna della sua vecchiezza.

Le considerazioni sinora fatte valgono come introduzione allo studio del rapporto tra alcune novelle ed il romanzo *Uno, Nessuno e Centomila* (40). Se si considera che l'attività narrativa di Pirandello si svolge per un arco di 40 anni è facile notare come esse siano specchio di tutta l'opera pirandelliana (41). Le novelle, inoltre, ci permettono «di seguire man mano il cammino della storia e della civiltà letteraria d'Italia, che dal verismo perveniva alla crisi del decadentismo e del surrealismo. Crisi che era anche quella della nostra borghesia, che usciva esaurita e superata dopo l'esperienza della prima guerra mondiale, e si era arenata nella retorica della dittatura politica» (42).

---

(40) Cfr. Arminio Janner, *Luigi Pirandello*. Firenze, 1969, pp. 244-258 passim.
(41) Jorn Moestrup, op. cit., stabilisce cinque periodi cronologici nella produzione letteraria di Pirandello: I, fino al 1900; II, 1900-1910; III, 1910-1916; IV, 1916-1925; V, 1925-1936.
(42) Giuseppe Giacalone, op. cit., p. 102.

B. *UNO, NESSUNO E CENTOMILA*

1. *Riassunto*

L'eroe del romanzo è Vitangelo Moscarda, figlio di un banchiere, Francesco Antonio, da cui aveva eredita-to una banca ed una ingente somma di denaro. Egli è per la prima volta rappresentato di fronte allo specchio esaminandosi il naso, che è lievemente storto a quanto dice la moglie Dida. La sua vita tranquilla di benes-tante nel nobile paese di Richieri, dove per dirla in poche parole, esercitava, secondo i cittadini, l'usura, lo conduce man mano ad una piú penosa e difficile scoperta della propria situazione.

Nella sua giovinezza aveva tentato diverse carriere e studi ma si era accontentato di vivere coi guadagni della banca, amministrata dai fedeli amici del padre: Quantorzo e Firbo. Sposato ad una moglie carina, da cui non aveva avuto figli, aveva continuato la sua esis-tenza, senza infamie, senza lode, senza ambizioni e senza pensieri. I pensieri verranno all'improvviso dopo la rivelazione della moglie riguardo al suo naso e per il desiderio di scoprire un'immagine obbiettiva di sé.

Vitangelo non aveva mai notato la forma partico-lare del suo naso e cosí pure non aveva ancora notato e ponderato a fondo le tre differenti immagini che gli altri si erano fatte di lui: a) «Gengè» (vol. III, p. 1290) (43) caro e placido marito della moglie Dida. b) «caro Vitangelo» (p. 1371) per Quantorzo e Firbo e gli impiegati della banca. c) «usuraio Moscarda» (p. 1346) per i concittadini di Richieri.

Scoperte le varie concezioni della personalità che di lui esistono e «che ciascuno lo conosce a suo modo» (p. 1333) Moscarda inizia la ricerca lunga e penosa per

---

(43) Le citazioni tratte dal romanzo provengono dal volume III: *Tutti i romanzi* delle *Opere* dell'edizione Mondadori.

scoprire chi veramente sia e tenta cosí tutti gli esperimenti possibili, sconvolgendo le convinzioni, che di lui altri si sono fatte, e scopre che è allo stesso tempo crudele e generoso, disinteressato ed egoista, pazzo e perfettamente sano. In tutto questo trambusto gli è difficile scoprire una verità qualsiasi, specie quando cosí diverse e molteplici sono le proprie scoperte nei riguardi della sua personalità, che è una «realtà che non ci fu data e non c'è, ma dobbiamo farcela noi se vogliamo essere.»

Egli perció decide di comportarsi da squilibrato, maltratta ed insulta non solo amici e conoscenti, ma persino la propia moglie. Nel colmo di questa nuova scoperta di sé stesso fa sfrattare da una catapecchia un maniaco che si spaccia per artista, ed in lusso di bontà gli regala un alloggio piú confortevole ed una somma di denaro. L'azione di Moscarda è misinterpretata dalla popolazione di Richieri e dai suoi intimi che vedono nel suo agire i segni lampanti di una pazzia che porterà la rovina a tutti coloro che vivono all'ombra della banca.

Essi decidono di farlo dichiarare pazzo dal tribunale per salvare il salvabile della banca e del denaro. Purtroppo la sua pazzia lo porta ad una rovina completa, rintracciabile attraverso i suoi dialoghi con la cagnetta Bibí, per l'abbandono della casa da parte della moglie Dida e lo scredito della Banca.

La ricerca che avrebbe dovuto condurlo alla scoperta dell'uno dei centomila che di sé stesso aveva individuato, lo conduce invece alla amara consapevolezza del nulla, cioè di essere nessuno. La decisiva volontà dell'eroe, dunque non ha le conseguenze immaginate e sognate, ad al posto di Dida andata via per sempre, appare sulla scena Anna-Rosa, la quale ha di Moscarda un'immagine diversa da quella degli altri.

Ella, per confessioni avute all'inizio della storia da Dida stessa, crede di vedere in Moscarda un suo spasimante, che si coltiva per lei una tanto più accesa passione quanto più inconfessata al di fuori. Ella decide di aiutarlo e gli dà appuntamento in una Badia solitaria in modo che il protagonista incontrando e parlando con Monsignor Vescovo, avrebbe trovato un modo per sistemare una volta per sempre la propia situazione. Mentre Vitangelo parla con Anna-Rosa succede un fatto strano: dalla mano di lei cade la borsetta ed un colpo parte involontariamente dalla pistola ivi contenuta, che la colpisce al piede. Tra la confusione generale, scoppiata nel convento, dove si attendeva la prossima visita vescovile, Moscarda si carica del corpo della «vergine matura» (p. 1404) e la porta a casa di lei, dove l'assiste e la cura.

Il colloquio col vescovo avviene ugualmente e gli argomenti trattati sono legati non alla situazione finanziaria di Vitangelo ma ai suoi problemi religiosi, nati da forti e presunti scrupoli di coscienza. La conclusione di questo incontro avviene alla presenza del saggio ed astuto canonico Sclepis, che farà il possibile per aiutare nella via della salvezza il lurido «usuraio Moscarda» (p. 1346), che a sua volta si impegna ad usare in opere di carità ingenti somme di denaro salvato dalla liquidazione della banca.

Purtroppo gli avvenimenti sembrano precipitare in un susseguirsi incessante di fatti e cose. La vicinanza di Anna-Rosa suscita nell'eroe immagini di nuova vita ed ardore; risvegliando in lui istinti passionali accelera il processo di nihilificazione a cui egli inesorabilmente si dirige, quasi per una cieca chiamata del destino. Il suo filosofare lucido e preciso è quasi interamente assorbito da Anna-Rosa, la quale ne rimane come magneticamente attratta fino al punto di abbandonarsi passionatamente alle sue carezze ed alle sue avanzate amorose, ma quando egli sta per baciarla, ella fa partire un colpo di pistola, nascosta sotto il cuscino e lo ferisce.

Convalescente appunto per questo singolare amplesso, Gengè comprende che si trova coinvolto in uno scandalo ma si giustifica pensando che anche questa è una finzione della società alla quale si oppone. Di fronte alla giustizia, anche se non è creduto, cerca di salvare Anna-Rosa, ma si trova per sempre compromesso. In questa situazione non gli resta altro che accettare e cedere totalmente alle imposizioni ipocrite e ricattatorie del canonico Sclepis, veramente poco scrupoloso quando chiede a Vitangelo di far penitenza per le sue «deplorevoli colpe» (p. 1413).

I suoi denari serviranno a costruire un «ospizio di mendicità» (p. 1414) in cui egli sarà il primo ospite e dove vestirà «l'abito comune» (p. 1414) della comunità e prenderà il cibo dalla stessa mensa dei poveri. Vitangelo finisce cosí le propie ricerche e dopo aver perduto ogni legame con la vita e col passato e coi suoi amici e parenti scopre amaramente di essere «nessuno,» ma in ció è finalmente libero dal peso enorme di farsi riconoscere «uno» dai «centomila» che gli altri lo credono.

Finalmente egli è libero di vivere nell'unica immagine possibile di sé, che consiste nel vivere come vivono le cose della natura, che si riflettono e rivivono di giorno in giorno e rinascendo di attimo in attimo sono come appaiono, senza mai discordanza tra «essere» e «parere,» tra il contenuto e la forma, che le riveste, in ultima analisi sono ambedue parte veramente viva di ogni creatura.

2. *Genesi Storica* (44)

Nel 1924 Pirandello portò a termine il romanzo *Uno,*

---

(44) Vedasi il mio studio *Uno, Nessuno e Centomila: Sintesi tematica e stilistica.* Diss. Catholic University, Washington D.C., 1971, in cui si analizza già la genesi storica del romanzo *Uno, Nessuno*

Nessuno e Centomila, che apparve in forma completa per la prima volta a puntate sulla rivista *Fiera Letteraria* tra il 1925 e il 1926 (45). Tale romanzo che nella sua stesura è abbastanza breve si compone di otto libri divisi in 63 capitoli.

Il romanzo occupò il pensiero di Pirandello per una quindicina d'anni (46). Lo scrittore siciliano ne diede la prima notizia nel 1910 (47) in una lettera a Bontempelli. *Uno, Nessuno e Centomila* apparve in pubblicazioni parziali nel 1915 (48) e nel 1925 (49). In una lettera del 1916 al figlio cosí si espresse «ho ripreso a lavorare nel romanzo che vorrò condurre a termine durante queste vacanze. Lo chiamerò soltanto *Uno, Nessuno e Centomila*» (50). Ancora nel 1922 parla del libro a Tilgher e a Diego Manganella, che lo intervista per *Epoca.* L'anno dopo in una lettera a Lietta, la figlia, si lamenta di non aver portato a termine il romanzo. Questo libro che voleva essere, a parere di Pirandello stesso, un proemio alla sua opera teatrale ne diventa invece come un riepilogo. Esso, si può dire, accompagna nella sua lunga genesi alcuni dei momenti principali della vita piú produttiva di Pirandello, racchiu-

---

e Centomila. Cfr. anche Mario Costanzo «Per una edizione critica di *Uno, Nessuno e Centomila*», *Quaderni dell'Istituto di Studi Pirandelliani.* Roma, 1973, pp. 109-119.

(45) *Uno, Nessuno e Centomila:* «Considerazioni di Vitangelo Moscarda, generali sulla vita degli uomini e particolari sulla propria in otto libri.»

(46) Dall'introduzione di Stefano Landi, pseudonimo del figlio Stefano, all'edizione su *Fiera Letteraria.*

(47) Claudio Vicentini, *L'estetica di Pirandello.* Milano, 1970. Lo Vecchio Musti fa risalire la prima notizia del romanzo al 1913.

(48) «Ricostruire,» *Sapientia. Rivista mensile di Roma,* anno II, Gennaio, 1915.

(49) «Marco di Dio e sua moglie Diamante». *Rivista di Firenze,* Febbraio, 1925.

(50) Gaspare Giudice, op. cit., pp. 410-411.

dendo nella sua composzione gran parte dei motivi e temi della sua opera (51).

Uno, Nessuno e Centomila, chiude la parabola dei romanzi iniziata con *L'esclusa* (1882) (52). Tutti i suoi romanzi a loro volta occupano delle tappe principali della vita artistica dello scrittore siciliano. Un primo periodo giovanile, che si puó senz'altro definire verghiano, di formazione artistica e teorica dura all'incirca fino ai tempi dei romanzi *L'esclusa* e *Il turno* (53).

Le creature e i personaggi di questo periodo vivono ancora nel clima realistico della Sicilia della sua giovinezza (54). Agli inizi del secolo, però, con la pubblicazione del *Fu Mattia Pascal* Pirandello si distacca dal mondo verghiano ed apre le porte ad una visione nuova della vita, secondo cui l'autore si troverà sempre in moto in cerca di una stabilità nuova, mai raggiungibile per il paradosso delle situazioni.

Il Fu Mattia Pascal è fondamentale per comprendere gran parte del pensiero pirandelliano (55). Senz'altro il romanzo appare in uno dei momenti piú fecondi della storia letteraria italiana, mentre Gabriele D'Anunzio era all'apice della propria fama e gloria, e Croce dava alla luce l'*Estetica* (1902). In questi anni Pirandello elabora i propri concetti per una valutazione dell'opera d'arte e le sue idee piú importanti si trovano nei saggi l'*Umorismo* e l'*Arte e scienza,* che essendo

---

(51) Gaetano Munafò, *Conoscere Pirandello.* Firenze, 1969, p. 131. Vede la importanza storica del romanzo *Uno, Nessuno e Centomila* anche nel titolo stesso: a) UNO — l'uomo è uno, quello che si crede di essere. b) NESSUNO — l'uomo è nessuno, perché non riuscendo a dare una forma alla propria vita è incapace di riconoscersi in quella che gli altri gli danno. c) CENTOMILA — l'uomo è centomila, cioè tutte le forme che riceve da coloro che lo avvicinano.

(52) L'anno di pubblicazione secondo Lo Vecchio Musti è il 1901.

(53) Cfr. Gösta Andersson, op. cit., pp. 120-175 passim.

(54) Giovanni Calendoli, *Luigi Pirandello.* Milano, 1962, p. 32.

(55) Per le varie pubblicazioni e traduzioni del romanzo si rimanda alla *Bibliografia* di Manlio Lo Vecchio Musti.

ambedue del 1908 conchiudono in certo qual senso il periodo di preparazione estetica e tematica.

Anche il romanzo *Vecchi e giovani* (1908) sta a chiusura di questo periodo e ne apre uno nuovo che si estende fino al 1916 (56), anno del primo successo teatrale con *Pensaci Giacomino...* Con questo romanzo ci troviamo di fronte ad uno studio psicologico, fatto di amarezza e di delusione, come d'altronde Pirandello aveva confessato in una lettera a Filipo Surico intorno al 1912: «Ora attendo a compiere il vasto romanzo *Vecchi e giovani*, in parte apparso su *Rassegna contemporanea* è il romanzo della Sicilia dopo il 1870, amarissimo e popoloso» (vol. IV, p. 1288). Compiendo questo romanzo Pirandello ritorna alle origini della propria esperienza giovanile, vi ritorna peró con una pienezza che lo distacca dai suoi maestri. Con *Vecchi e giovani* dove è racchiuso il «dramma» della sua «generazione» (vol. IV, p. 1288), come egli stesso afferma, egli introduce e dà origine al piú filosofico e analitico dei suoi romanzi: *Uno, Nessuno e Centomila*.

Nella lettera a Filippo Surico, già precedentemente accennata, egli scrive: «E un altro romanzo ho per le mani, il piú amaro di tutti, profondamente umoristico di scomposizione della vita: *Moscarda, Uno, Nessuno e Centomila*. Uscirà alla fine di quest'anno nella *Nuova Antologia*» (57). Ma altri due romanzi: *Suo marito* (1911), ora col nuovo titolo *Giustino Roncella nato Boggiolo* (1953), e *Si gira...* (1915), ora col nuovo titolo *Quaderni di Serafino Gubbio operatore* (1925), lo precedono cronologicamente.

A parte alcune novelle, apparse in numero veramen-

---

(56) Sarah D'Alberti, *Pirandello romanziere*. Palermo, 1967, p. 124.
(57) *Uno, Nessuno e Centomila* fu invece pubblicato a puntate su *Fiera Letteraria* tra il 1925 e il 1926 ed in volume da Bemporad, Firenze, 1926. Brani del romanzo apparvero nel 1915 sulla rivista *Sapientia* e nel 1925 su *Rivista di Firenze*.

te esiguo, ed il romanzo *Uno, Nessuno e Centomila*, il decennio che va dal 1916 al 1926 racchiude i maggiori successi teatrali pirandelliani. I drammi possono a loro volta essere divisi in due categorie: la prima, rispecchia un ambiente siciliano e naturalistico; la seconda, comprende le opere maggiori, quelle universalmente conosciute, trattando del problema della vita e del rapporto con la realtà. Questa seconda produzione teatrale di Pirandello —a parere della Abete— «accompagna la pubblicazione di *Uno, Nessuno e Centomila* e porta a posizioni piú aderenti alla realtà concreta il problema che il romanzo riassume e sviluppa in termini di negatività: il rapporto dell'individuo col mondo sociale e con la storia; con una chiusura dell'individuo nel passato... o con un distacco da vecchie posizioni che documenta la necessità vitale di prestar fede all'impulso nuovo di vita che rinnova il passato e allontana da vecchie forme... per addivenire di volta in volta a posizioni piú misurate, in cui l'accettazione o il ripudio di forme psicologiche determinate è frutto di una necessità di convivenza sociale o di difesa della propria personalità» (58).

L'ultimo periodo della produzzione pirandelliana parte dal romanzo *Uno, Nessuno e Centomila* e giunge sino alla commedia *Giganti della montagna*, che lasciata incompiuta fu portata a termine dal figlio Stefano. Le opere compiute dopo il romanzo in considerazione nascono da un ritorno «ai soliti temi filosofici e raziocinanti precedenti» (59), come avviene nelle ultime opere: *La nuova colonia* (1928), *Lazzaro* (1929), *Quando si è qualcuno* (1933) e *Non si sa come* (1936). In esse per «le incertezze e le delusioni» (60) dovute ad un

---

(58) Giovanna Abete, *Il vero volto di Luigi Pirandello*. Roma, 1961, p. 175.
(59) Gaetano Munafò, op. cit., p. 53.
(60) Ibi., op. cit., p. 52.

tentativo di evasione umana il personaggio scopre la sua inadeguatezza nella realtà, e nell' isolamento soggettivistico in cui si trova è continuamente condotto allo scacco e alla sconfitta.

Ritornando alla genesi del romanzo *Uno, Nessuno e Centomila* ed ai motivi profondi d'ispirazione bisogna senz'altro affermare il rapporto con le altre opere pirandelliane. I romanzi nella loro totalità e particolarmente il romanzo oggetto di questo studio «vanno studiati sotto il duplice profilo dell'analisi e del rapporto; analisi intesa come approfondimento dei temi, rapporto inteso come ricerca del legame che dà unità al mondo artistico dello scrittore la cui vitalità ancora in questo nostro tempo si rivela perenne nella ripresa, sulla scena e fuori della sua opera» (61).

Il Di Pietro che ha tentato di segnare attraverso i romanzi la parabola dell'arte dell'autore siciliano ha affermato che *Uno, Nessuno e Centomila* è «il libro piú ascetico, il breviario di Luigi Pirandello» (62). Anche il De Castris vuole vedere nei vari romanzi, e specie in questo ultimo, delle pietre miliari, che segnano il cammino di Pirandello dal provincialismo borghese fino alla scoperta della coscienza dell'uomo contemporaneo (63). Attraverso queste pietre miliari dell'arte pirandelliana senza nessum dubbio il romanzo, oggetto di questo studio, raggiunge il punto piú alto dell'ascensione artistica pirandelliana e si deve dire col Puglisi «che il punto estremo di questa ascensione, che porta a varcare ogni limite di natura tradizionale, a instaurare una tecnica nuova quella che in seguito, in Italia e fuori, sarà fatta propria dagli scrittori piú rappre-

---

(61) A. Di Pietro, *Saggio su Pirandello*. Milano, 1941, p. 184.
(62) Sarah D'Alberti, op. cit., p. 17.
(63) A. Leone De Castris, op. cit., p. 175.

sentativi, quali Joyce, Ionesco, Berto, e cosí via, si raggiunge con *Uno, Nessuno e Centomila*» (64).

3. *Tematica*

Dallo studio storico del romanzo *Uno, Nessuno e Centomila* a quello tematico il passaggio è molto semplice. Il romanzo non è fatto nuovo nel cammino artistico di Pirandello, sebbene ne apre nuovi orizzonti. Egli ha dato in questo libro «una delle prove piú valide della sua maturità artistica a dispetto delle esigenze logico-metafisiche della tesi che voleve dimostrare» (65).

Nell'intervista concessa al settimanale *Epoca*, a cui si è già accennato precedentemente, l'autore aveva affermato che questo romanzo rappresenta la scomposizione della personalità fino alle conseguenze piú estreme (66). A questo tema della personalità è legata tutta la prima parte del libro. Persino lo stile del romanzo sembra soffocare in una serie di argomenti e di divagazioni concettuali a causa dei problemi e fatti umani di Moscarda e degli altri personaggi.

Il protagonista del romanzo intende e analizza spietatamente la vita, i propri sentimenti e quelli che si agitano nei suoi simili. Egli guarda la vita e si sente inetto a vivere. Per eccessiva contemplazione e comprensione della vita diventa cerebrale ed è incapace di ogni entusiasmo e sciolto da ogni fede. Si guarda allo specchio e ne rimane immobilizzato. Vitangelo è perció incapace di trovare sé stesso e si aggrappa come ad uno scoglio sicuro alla dimensione nuova di immedesimazione nella natura e con un'ansia religiosa nuova

---

(64) Filippo Puglisi, *Pirandello e la sua opera innovatrice*. Catania, 1970, p. 88.
(65) Sarah D'Alberti, op. cit., p. 168.
(66) Gaspare Giudice, op. cit., p. 410.

trasferisce le sue contemplazioni su un piano più universale di problemi esistenziali.

L'ansia religiosa a sua volta non si manifesta come una determinata adesione ad un culto storico e settario ma piuttosto come una stupita contemplazione della solitudine, che è il vivere stesso. Questa nuova forma di religione diventa meditazione interrogativa sugli inesplorabili abissi dell'anima e gli fa sentire pietà dinanzi a sé stesso ed al mondo degli animali e della natura. Moscarda non si ferma in una dimensione di sofferenza ma si «eleverà nel momento più tragico della sua nullificazione cosciente» (67) ad una consistenza che è «identificazione con la natura» (68).

Il senso panico per la natura, non più matrigna come nella tragica visione del Verga, o esaltata paganamente come nel Carducci, è il porto d'arrivo dell'uomo alienato che si specchia e si annulla in essa (69). Ogni individuo è perció «uno, nessuno e centomila» (vol. III, p. 1346) e nel momento che appare ad un altro, che a sua volta ne ha già una immagine determinata, è già diverso da sé a dall'immagine, che è innarrestabile appunto perché sorge dal «flusso continuo della vita» (vol. III, p. 1318). «L'essere» diventa fluire continuo ed il «parere» è viceversa in tutte le forme create in modo e numero indefinito, nelle quali l'individuo si frantuma dinazi a sé stesso e dinanzi agli altri (70). Queste premesse verificano la relazione del protagonista con altre creature piradenlliane da Mattia Pascal in poi (71).

La seconda parte del romanzo sviluppa le conclusioni e le conseguenze poste dalla tematica già annun-

---

(67) A. Leone De Castris, op. cit., p. 201.
(68) Giovanni Calendoli, op. cit., p. 71.
(69) Ibi., op. cit., p. 77.
(70) Ibi., op. cit., p. 77.
(71) A. Leone De Castris, op. cit., p. 199.

ciata per quanto riguarda la personalità di Moscarda. Dal tema del romanzo, quasi come da una centrale, si diramano i fili principali del giuoco e dei concetti pirandelliani, che si ripetono in diverse opere: a) tra le novelle: *La carriola* (1916), *La trappola* (1912), *Stefano Giogli, uno e due* (1909), *La mano del malato povero* (1917); tra i romanzi: *Il Fu Mattia Pascal* (1904), *Si gira...* (1915); tra le opere teatrali: *Sei personaggi in cerca d'autore* (1921), *Enrico IV* (1922), *Cosí è (se vi pare)* (1918), *Ciascuno a suo modo* (1924).

Il tema del romanzo considera la lotta di Moscarda per affermare la propria esistenza umana. Il problema del «nascere» e del «vivere» diventa spesso esasperante nella continua ricerca della intima unità umana. Ogni certezza è limite «al rinascere sempre nuovo e senza ricordi, vivo e intero non piú in me, ma in ogni cosa fuori» (vol. III, p. 1416). Persino la realtà fisica, concreta, cambievole è messa in dubbio dal pensiero umano e perde cosí ogni concretezza. È questo certamente il risultato che Pirandello voleva ottenere e che sicuramente ha ottenuto.

I temi affrontati dal filosofare astruso di Moscarda possono essere riepilogati nel modo seguente: a) Molteplicità della personalità umana, dovuta all'inabilità di essere questo e quello. b) Relatività della verità derivata dalla limitata comprensione che ogni essere ha della esistenza umana e del mondo e dall'impossibilità di formulare e di avere una qualsiasi certezza della cononscenza. c) Creazione e consistenza dei concetti della realtà che esprimono lo sforzo dell'individuo di identificare sé stesso e la natura circostante. d) Illusione-Realtà nel rapporto che viene stabilito tra interpretazione umana della natura e la natura esistente in sé stessa. e) Arte-Vita, come studio della esistenza umana e del continuo divenire.

Questa tematica filosofica si può ricavare da uno studio attento del romanzo, ma quello che maggiormente stupisce il critico è l'origine incredibilmente modesta delle meditazioni del protagonista: «il naso.» Tale situazione di sorpresa e di scossa è comune a molte opere firandelliane: a) la notizia del suicidio in *Il Fu Mattia Pascal*; b) la caduta da cavallo in *Enrico IV*; L'incontro con la figliastra nei *Sei personaggi in cerca d'autore*; d) un filo d'erba in *Canta l'epistola*; e) l'osservazione della mano in *La mano del malato povero*.

I temi del romanzo in molti casi riflettono una visione generale della vita e dell'arte come sono presentate nell'opera pirandelliana: a) l'umorismo amaro volto verso gli uomini; b) lo sdoppiamento della coscienza, come condizione terribile dell'uomo; c) il grottesco e il paradosso di situazioni che si manifestano spesso all'insaputa del protagonista, ma che sono susseguentemente accettate come proprie; d) l'incessante analisi introspettiva.

Nasce da qui la reazione del «vedersi vivere» da parte di Moscarda e perciò la infaticabile ricerca della libertà, come reazione al sentimento di essere «forestiero della vita» e «alla pena di vivere cosí.» Questo dramma esistenziale chiama il protagonista del romanzo, continuamente alla contemplazione di sé stesso allo specchio, e lo conduce al completo allontanameto dalla società ed a una forma tutta nuova di pazzia. La reazione porta con sé esasperazione e lotta continua nella profondità dell'alienazione e nella solitudine piú acerba. Moscarda essendo uomo alienato è ogni uomo e nessun uomo e come tale scivola in un mondo che ha poco significato per lui e dove egli ha nessun potere appunto perché straniero a sé stesso e agli altri.

Dopo aver perduto la sua identità il protagonista non solo è tagliato fuori da qualsiasi attività individuale ma da ogni gruppo sociale a cui dovrebbe appartenere, e non essendo capace di raggiungere una relazione significativa con gli altri è privato in qualche

3

modo di sé stesso fino al punto di rendere necessaria una identificazione cosmica con la natura. La scelta è finalmente operata e il distacco finale è raggiunto anche se passato attraverso il crogiolo di una complessa esperienza (72).

A conclusione di questa introduzione sulla tematica del romanzo si può ricordare il giudizio di Manlio Lo Vecchio Musti sullo sforzo di evasione che caratterizza l'arte pirandelliana: «la visione della vita, quale risulta dalle pagine dell'*Umorismo*, dalla poesia, dai romanzi, dalle novelle, dai drammi, non ha mutato col volgere degli anni. I motivi dell'arte pirandelliana svolti con cento variazioni ormai li conosciamo: l'uomo cambia di momento in momento, è uno con sé e diverso con ciascun altro, mentre la società lo irretisce e lo sacrifica ai suoi fittizi ideali» (73) e lo rende ridicolo, anche nelle tragiche ore della sua esistenza.

Da queste conclusioni nasce «l'analisi ideologica dell'universo tragico pirandelliano: il disperdersi caotico della realtà oggettiva, il frantumarsi dell'io, la condizione esistenziale dell'uomo, condannato all'eterno inconsistente fluire e vanamente impegnato a trascendere la forma: e persino il tentativo, velleitario e incompiuto, dell'ultimo uomo di Pirandello, di trasformare in fede attiva, in accettazione mistica e surrealistica, la sua stessa disgregazione universale» (74).

C. I PERSONAGGI DI *UNO, NESSUNO*
E CENTOMILA

In *Uno, Nessuno e Centomila* Moscarda è la figura principale e come tale è logico rivolgergli particolare

---

(72) Gaetano Munafò, op. cit., p. 229.
(73) Manlio Lo Vecchio Musti, *L'opera di Luigi Pirandello*. Torino, 1939, p. 69.
(74) A. Leone De Castris, op. cit., p. 29.

attenzione. Due novelle in particolare: *Tragedia di un personaggio* (1911) e *Colloquio coi personaggi* (1916), la commedia *Sei Personaggi in cerca d'autore* e il saggio *L'azione parlata* ed altri saggi sono alla base ed esprimono le teorie artistiche che riguardano la creazione di Moscarda e di ogni altro personaggio pirandelliano (75).

Moscarda non è solo una creatura della fantasia ma anche una unità psico-fisica e idealità della vita. Nelle varie vicende spesso drammatiche della sua esistenza egli rivela il suo pensiero e il suo desiderio di comprendere e di determinare la propria realtà individuale. Tutti i personaggi che prendono parte alla sua vicenda sono presi dalla vita di ogni giorno e dalla società e vi si sentono intimamente legati.

Per capire i personaggi di questo romanzo bisogna tener presente che Pirandello sente acutamente i conflitti della società e dell'individuo e che egli nella ricerca di questi rapporti stabilisce un suo metodo e un suo fine. I personaggi di *Uno, Nessuno e Centomila* si scoprono «veri» e «vivi» nella vita di ogni giorno e molto spesso si ha l'impressione che un movimento banale li diriga nella vita: «ogni persona con le sue ubbie, col suo ticchio particolare, col suo «pallino,» con un suo particolare diffetto fisico o psichico studiatamente occultato, ognuno a suo modo «perché» la vita è cosí, da piccole cause a volte possono nascere grandi turbamenti; si dice eufemisticamente che il naso di Cleopatra ha determinato parte della storia umana» (76). Diversi sono i personaggi del romanzo e tutti vivono all'ombra di Moscarda, il protagonista. Man mano si passerà in rassegna in questo studio ai molti che gravitano attorno all sua persona.

---

(75) Cfr. A. Leone De Castris, «Ragione ideologica e proiezione drammatica del personaggio senza autore». *Convivium*, II, 1962.
(76) Gaetano Munafò, op. cit., p. 84.

1. *Dida e Anna-Rosa*

La moglie Dida è lasciata senza volto e senza personalità per gran parte del romanzo, quasi l'autore avesse voluto significare in lei la mancanza di ogni valore. Finalmente nelle ultime pagine del romanzo, apre un rapido accenno alla sua persona: «esile e bianca nella sua veste tutta falbalà, in punta, in punta e di tre quarti sulla poltrona accanto, con una freccia di sole sulla nuca» (vol. III, p. 1371). Nelle precedenti allusioni alla moglie, Moscarda la presenta sempre parlando e dando ordini o canticchiando nell'ozio proprio delle persone che hanno la vita facile e non sono preoccupate da problemi di alcun genere o da alcuna necessità economica. Dida è tutta grazia femminile e Moscarda la mostra sempre in questa luce di «fragile bambola,» il cui «amore solo è caro.» Purtroppo l'esigenza di scoprire il proprio mondo interiore a cui Moscarda si era dedicato ha un prezzo indiscutibile ed egli deve lasciare la «cara mogliettina,» che tante idee s'era fatte del suo «maritino.» Nel II capitolo del libro IV «Il riso di Dida» la presenta lontana ed estranea anche nella più intima vicinanza fisica dei corpi, condannati a vivere la vita sconosciuti a sé stessi e a coloro che sono vicini.

> Era lí davanti a me; m'acciuffava con una mano i capelli, mi si metteva a sedere sulle ginocchia; sentivo il peso del suo corpo. Chi era? Nessun dubbio in lei ch'io lo sapessi chi era. E io avevo intanto orrore dei suoi occhi che mi guardavano ridenti e sicuri; orrore di quelle sue fresche mani che mi toccavano certe che fossi come i suoi occhi mi vedevano; orrore di tutto quel suo corpo che mi pesava sulle ginocchia, fiducioso nell'abbandono che mi faceva di sé, senza il più lontano sospetto che non si desse realmente a me, quel suo corpo, e che io stringendomelo tra le braccia, non mi stringessi

con quel suo corpo una che mi apparteneva totalmente, e non un'estranea, quale io la vedevo e la
toccavo: questa — cosí — con questi capelli — e
questi occhi — e questa bocca come nel fuoco del
mio amore gliela baciavo; mentre lei la mia, nel suo
fuoco cosí diverso dal mio e incommensurabilmen-
te lontano da sé, tutto per lei, sesso, natura, immagine, senso delle cose e pensieri, e affetti che le
componevano lo spirito, ricordi, tutto era diverso;
due estranei stretti cosí — orrore — estranei non
solo uno per l'altra, ma ciascuno a sé stesso, in quel
corpo che l'altro stringeva. Voi non l'avete provato
questo orrore, mondo nella donna vostra, senza il
minimo avvertimento che ella intanto si stringeva
in voi il suo, che è un altro, impenetrabile» (vol. III,
p. 1365).

Questa rappresentazione di Dida riprende certamente un tema caro a Pirandello, dalla descrizione del personaggio si passa a un secondo livello di comunicazione e conoscenza, ma proprio qui è la tragedia del personaggio, e in questo caso particolare della relazione
che intercorre tra Dida e Moscarda. Una relazione che
senza alcun dubbio porta alla nostra mente l'episodio
tra Lucietta Frenzi e Stefano Giogli della novella *Stefano Giogli, uno e due* (77). Nella novella come nel ro-

_____

(77) «Cieco, abbagliato, come una farfalla attorno al lume, non
ricordava altro di quei tre mesi che gli spasimi di quella concen-
tissima attesa suscitati dalle rosse, umide labbra di lei, da quei
dentini fulgidi, da quel vitino snello da cui si slanciava con irre-
sistibile fascino la voluttuosa procacità del seno e dei fianchi, da
quegli occhi che ora ridevano chiari, or s'illanguidivano cupi, or
quasi vaneggiavano, velati di lacrime di gioia, al fuoco che si spri-
gionava dai suoi. Ah che fuoco! Tutto l'esser suo s'era fuso a quel
fuoco; era diventato come un liquido vetro, a cui il soffio capriccioso
di lei poteva dare quell'atteggiamento, quella piega, quella forma,
che meglio le pareva e le piaceva. E Lucietta Frenzi — padrona del
mondo — ne aveva profittato bene. Oh se ne aveva proffittato!»
(vol. II, p. 1180).

manzo le due mogli sono estranee al marito e viceversa i mariti sono estranei alle mogli.

Anna-Rosa, dopo Moscarda, ha maggior consistenza in tutto il romanzo. Appena accennata di sfuggita nelle prime pagine in una conversazione tra Dida e Moscarda, assumerà un'importanza fondamentale nella liberazione di Moscarda dal nodo sociale. Bisogna aspettare fino al libro settimo per avere una prima descrizione di essa fatta da Moscarda: «orfana di padre e di madre, abitava con una vecchia zia in quella casa che pareva schiacciata dalle mura altissime della Badia Grande» (vol. III, p. 1391). «Dati di fatto» questi e per trovare una rappresentazione degli aspetti fisici di essa bisogna aspettare il momento dell'incontro tra lei e Moscarda nella vecchia Badia. «Poco dopo Anna-Rosa aprí di fuori l'uscio e mi chiamò fuori dal parlatorietto nel corridoio. Era tutta accesa in volto, coi capelli in disordine, gli occhi sfavillanti, la camicietta di lana a maglia abbottonata sul petto come per caldo, e aveva tra le braccia tanti fiori e un tralcio d'edera che le passava sulle spalle e le tentennava a lungo» (vol. III, p. 1393). La prima visione di Anna-Rosa è apparizione estatica della donna che introduce la luce nel buio della vita dell'uomo. A cominciare da questa apparizione Anna-Rosa diventa parte viva nella esperienza di Moscarda, come un raggio di sole che entra metaforicamente nella sua anima.

Sia Dida, come Anna-Rosa sono raffigurate da Moscarda con una certa importanza nella sua vita. Ma l'ideale femminile si trasforma nelle due creature, una tutta spirito e grazia, e affrancata dai limiti corporei, l'altra piú umanamente vista e capace di suscitare richiami ed esigenze romantiche (78).

---

(78) Filippo Puglisi, *Pirandello e la sua lingua*. Bologna, 1962, p. 104. «Cos'è la donna? Un angelo? Una dea? Una bellona? No, Pirandello non è Dante, non è Foscolo, non è D'Annunzio. Ascolta

Sentimenti lontani e reconditi, come un ponte miracoloso che unisce, sia per un momento, le sponde dell'amore umano oltre il silenzio e il dolore, nascono nel cuore di Moscarda quando contempla Anna-Rosa, dopo l'incidente avvenuto alla Badia: «Non so precismente come avvenne» afferma Moscarda «quando guardandola in quella lontananza, le dissi parole che piú non ricordo, parole di cui ella dovette sentire la brama che mi struggeva di donare tutta la vita che era in me, tutto quello che potevo essere, per divenire uno come lei avrebbe potuto volermi e per me veramente nessuno. So che dal letto mi stese le braccia; so che mi attrasse a sé» (vol. III, p. 1409).

Caldi sentimenti salgono repentini nel cuore di Moscarda alla contemplazione di Anna-Rosa inferma:

> Il pallore e il languore della lunga degenza le avevano conferito una grazia nuova, in contrasto con quella di prima. La luce degli occhi le si era fatta piú intensa, quasi cupa. Diceva di non poter dormire. L'odore dei suoi capelli, neri, densi, un pò ricciuti ed aridi, quando la mattina se li trovava sciolti e arruffati sul guanciale la soffocava... (vol. III, p. 1404). ... Viveva sola con sé, di sé; leggeva, fantasticava, ma sempre insofferente cosí delle let-

---

di lui questi versi, che sono del 1896 («Melbtal,» in *Saggi, poesie e scritti vari*, pp. 640-641).

«Quella giubetta a maglia
come le stava bene!
... ...
D'un subito s'accorse
che mi piaceva assai:
rise negli occhi gai.
'Vengo su al bosco a un patto,
— poi disse, — e bada tu

che di amor lassú
noi non si parla affatto'
... ...
... ...
Sedemmo all'ombra. Ah il patto
fu mantenuto appieno.
D'amor, sen contro seno,
noi non parlammo affatto.»

La donna per lui è un elemento necessario, indispensabile, ma non l'ideale supremo, l'altare, dinnanzi al quale si debbono sacrificare per tutti i desideri, anche quelli piú eccelsi.»

ture come delle sue stesse fantasticherie; usciva a far compere, a trovare questa o quell'amica... poi rincasava e si sentiva stanca e seccata di tutto. Certi invincibili disgusti... diceva che non avrebbe mai preso marito (vol. III, p. 1408).

Contemplando Anna-Rosa durante la sua convalescenza Moscarda non può fare a meno di sentire per lei un profondo amore, a cui lei stessa, come una forza magnetica si sente atratta. Il sentimento di Moscarda rispecchia il travaglio della sua anima e nel suo abbandono segue il bisogno di una piú intima comunicazione purtroppo con ben altre conseguenze.

Due donne, Dida e Anna-Rosa, ma quale differenza tra le due, una appena accennata nella lievità esile della vita e l'altra accolta nella sua grazia femminile «sotto le coperte si indovinavano le formosità del suo corpo di vergine matura» (vol. III, p. 1404). Moscarda si sentí sensualmente atratto da Anna-Rosa, ma per un caso fortuito del fato egli non completò il suo rapporto d'amore con essa. Il silenzio delle cose attorno e della vita bloccava la via dell'amore manifestandosi come un tumulto nel cuore di Moscarda. Ciò che doveva essere sorgente di nuova vita venne ucciso dal cuore ormai sterile per ogni affetto di Anna-Rosa.

Il contrasto amore-passione, fedeltà-passionalità inteso come scontro tra sentimentalità nuova e scoperta interiore dell'individuo non esiste nella vita di Moscarda per due motivi molto semplici: 1) Moscarda ama ancora inconsciamente sua moglie Dida, sebbene si sente attratto da Anna-Rosa. 2) Anna-Rosa è attratta sí dalla conoscenza filosofica di Moscarda ma non può concepire nel suo intimo una pur minima mancanza alla sua verginità, gelosamente custodita e guarda con orrore la possibilità che tale fiore venga sciupato in un attimo sfuggente.

Ma forse gli interessi di Anna-Rosa non erano cosí

puri come in un primo momento si possa pensare, perché appare chiaro nel romanzo che ella era anche interessata a dimostrare la pazzia di Moscarda, essendo stata la prima ad individuare questo specifico stato mentale di Vitangelo. Nella situazione esposta si capisce come tra i due: Moscarda e Anna-Rosa non esiste alcuna relazione che vada oltre i limiti di un rapporto puramente platonico, sebbene tutti i cittadini di Richieri a partire dal canonico Sclepis pensino il contrario.

La potenza dell'amore nella relazione tra Moscarda e Anna-Rosa rimane frenata, come già era successo ad Adriano Meis e Adriana, dall'assillo della riflessione (79). Nello svilupparsi della situazione in cui Moscarda è coinvolto Anna-Rosa sa inoltre evitare la viscida tela di ragno che sta per soffocarla e scompare dalla scena. Di lei non si saprà più nulla, neppure attraverso la memoria di Moscarda, nella quale si spengono tutti i «Moscarda» singoli e molteplici che siano.

2. Stefano Firbo, Quantorzo e Turolla

Per la loro importanza nello svolgimento della trama Stefano Firbo e Sebastiano Quantorzo hanno un posto di primo piano. All'inizio del romanzo essi sono rappresentati come fedeli amici del padre di Moscarda e custodi della fortuna della banca. Moscarda dimostra loro piena fiducia finché egli caduto nella trappola

(79) Arminio Janner, op. cit., pp. 266-267. «Anna-Rosa si sente magnetizzata dalle idee e concezioni di Moscarda le fanno cosí grande impressione che a un certo punto, per non, soggiacervi, tenta perfino di ucciderlo. Il vuoto, il nulla della personalità, quel senso di sgomento e di solitudine che nasce in chi abbia afferrato tale stato d'animo, agisce su Anna-Rosa come uno stupefacente; e la vertigine la prende, e per non partecipare nel baratro che si apre dinanzi a lei istintivamente si difende, sparando. Non è certo ben chiaro quel che avviene nell'animo di Moscarda e di Anna-Rosa; ma non v'è dubbio che proviamo un fascino strano a leggere questo

del suo filosofare decide di togliere loro la quasi completa autonomia negli affari della banca.

A Stefano Firbo «da piccolo avevano dato i bottoni alla schiena e che sebbene la gobba non gli si vedesse, tutta la cassa del corpo era peró da gobbo, sí ma un falso gobbo elegante, ben riuscito» (vol. III, p. 1353). Questa affermazione riguardo la persona di Firbo nei suoi aspetti fisici puó indicare sino a che punto Moscarda, nel suo lungo ozio, sia arrivato nell'osservazione di uomini e di cose. Accanto a queste deformazioni fisiche, Firbo possiede, e qui è il contrario, «una non comune intelligenza,» e coloro che s'illudono di imbrogliarlo debbono convincersi prima o poi che non sono riusciti a imporgli soltanto parole e nient'altro.

Anche Firbo, come Moscarda, assume una personalità molteplice, infatti per la moglie è «un impostore, un falsario, un libertino, un ladro e che non fa altro che dir bugie» (vol. III, p. 1355). Firbo, come personaggio, non si distacca perciò dalla linea del romanzo: molteplice visione della realtà, relatività della verità e personalità molteplice.

Il paterno Quantorzo è colui, che per gran parte del romanzo, cioè sino alla liberazione di Moscarda, dirige ogni movimento della banca, di Moscarda e di ogni altro personaggio che vive attorno e all'ombra della banca. Egli cerca di portare pace tra Firbo e Moscarda durante un diverbio tra i due avvenuto nella banca. Senza alcun risultato di rilievo, Quantorzo è rappresentato quando cerca di convincere Moscarda di desistere dal tentativo di liquidare la banca. Quantunque il suo ruolo sia importante nel romanzo, Pirandello lo

---

episodio. E il dilemma metafisico si svolge nel piú idillico e sereno ambiente: nei corridoi e giardini di un convento di monache. Contrasto che accuisce la vertigine di quell'amore che sbocca all'orlo di un baratro metafisico.»

definisce laconicamente, «grasso e nero, affondato nel divano verde» (vol. III, p. 1371).

Turolla appare mentre avviene una discussione tra lui e Firbo: «un certo Turolla, burlato da tutti anche per il suo modo in cui si vestiva. Una giacca lunga, diceva quel povero Turolla, a lui cosí corto, lo avrebbe fatto sembrare piú corto. E diceva bene. Ma non s'accorgeva intanto, cosí tracagnotto e serio, serio, con quei mustacchi da brigadiere, come gli stava ridicola di dietro la giacchetta accorciata, che gli copriva le natiche sode» (vol. III, p. 1352). La descrizione di Turolla è limpida e chiara ed aiuta, come un respiro di sollievo, a riprendersi durante la lettura del romanzo intriso dei ragionamneti astratti di Moscarda.

3. Un amico, i servi Diego e Nina, i commessi della banca

I servi Diego e Nina sono appena accennati nella loro funzione di domestici nella casa di Moscarda, e cosí pure lo è il guardiano della Banca, fatto come i due precedenti solo per ricevere ordini: «pulite in terra là dentro ho schiacciato un scarafaggio» (vol III, p. 1359).

«Un amico» è il personaggio a cui Moscarda sottopone il naso, che gli pende verso destra, ad una attenta osservazione. La prima reazione dell'amico è quella di dare una spallata e lasciarlo in asso, ma dopo essere stato richiamato da Moscarda mostra «un'incredulità che era derisione» (vol. III, p. 1288). Moscarda parte da questa incredulità per dimostrargli come anche lui, come il resto dell'umanità, porta con sé una serie di diffetti che non conosce. La reazione dell'amico è come quella di Moscarda: «sentimenti di stizza» e continuo studio della propria persona fisica. Cosí egli si ferma «prima volta a una vetrina di bottega, e poi una seconda piú in là, davanti ad un'altra; e piú in là ancora e piú a lungo, una terza volta, allo specchio di uno sporto per osservarsi il mento... e appena rincasato sarà corso all'armadio per far con piú agio a quell'altro specchio la nuova conoscenza di sé con quel diffetto» (vol. III, p. 1289).

Nessuno nella vita può sfuggire ai giuochi della forma che gli viene imposta. Ai personaggi qui menzionati va aggiunto anche quel «certo tale,» che si accosta a Moscarda per chiedere «con aria smarrita... s'era vero, che ogni volta che si metteva a parlare, contraeva innavertitamente la palpebra dell'occhio sinistro» (80) (vol. III, p. 1289).

Altri personaggi sono i commessi della banca, descritti cosí intenti nel loro lavoro «che non alzavano i loro occhi dai registi» neppure quando Moscarda andava in banca per firmare qualche documento. Essi erano troppo occupati a rendere accetta al paese l'immagine di Moscarda, «come usuraio,» e se alzavano gli occhi per guardarlo, era solo in segno di commiserazione.

4. *Marco di Dio e sua moglie Diamante* (81)

Marco di Dio a sua moglie Diamante sono due personaggi di una certa importanza. Nel romanzo accanto alla descrizione fisica, abbastanza limitata, esiste un giudizio morale dell'autore; ciò serve a dar valore alla realtà dei personaggi e alla loro posizione fuori del

---

(80) Pirandello ha una passione segreta per descrivere i diffetti fisici delle persone ed applicandoli ai suoi personaggi egli costruisce tutto un mondo filosofico nuovo. Nel romanzo *Il Fu Mattia Pascal* il diffetto dell'occhio è esaminato acutamente. Nel saggio *Umorismo* la descrizione del naso è molto accentuata.

(81) Vedasi l'appendice alla fine di questo studio, dove si analizzano le differenze tra il romanzo *Uno, Nessuno e Centomila* e la pubblicazione «Marco di Dio e sua moglie Diamante» su *Rivista di Firenze*.

tempo: «Marco di Dio e sua moglie Diamante mi sembravano due sciagurati, a cui però la miseria, se da un canto pareva avesse persuaso essere inutile ormai che si lavassero la faccia ogni mattina, certo dall'altro poi si persuadeva ancora di non lasciare nessun mezzo intentato, non già per guadagnare quel poco ogni giorno che bastasse almeno per sfamarli, ma per diventare dall'oggi al domani milionarii; mi-lio-na-ri-i come diceva lui sillabando, con gli occhi truci, sbarrati» (vol. III, p. 1330).

È ovvio che tutte e due sono pazzi, ma Marco di Dio rispetto alla moglie è quello che piú da vicino vive il dramma di Moscarda. Marco di Dio si credeva inventore e come tale fu accolto nello studio di un artista di Richieri dove in un pomeriggio afoso d'agosto mentre posava in un gruppo simboleggiante «Satiro e fanciullo» (vol. III, p. 1340) si lasciò vincere dalla bestia in lui e volle tradurre in realtà l'atto contro natura che la statua vuol significare. Il fanciullo non accondiscende al turpe desiderio di Marco di Dio, che viene scoperto in quell'atto e perciò condannato per sempre a vivere nella pazzia di un attimo solitario e sfuggente, che è pur parte del proprio essere.

Marco di Dio si trova come Moscarda a vivere nella forma a cui gli altri lo hanno condannato e cerca di liberarsi da essa con la decisione di partire per l'Inghilterra, ma ciò non rimarrà che un sogno irrealizzabile.

La moglie Diamante è appena accennata da Pirandello ma nelle poche parole dette su di lei si può intuire che il suo tessuto psicologico è uguale a quello del marito. «Era uno sgomento, e insieme una pietà questo spettacolo di donna, com'egli fosse riuscito ad attirarla, e farla vivere da cagna fedele in quel sogno buffo, di diventare milionario da oggi a domani con una invenzione, per esempio «di cessi inodori per i paesi senz'acqua nelle case» (vol. III, p. 1343).

Tutte e due, marito e moglie erano convinti della

loro situazione ed avevano accettato la loro esistenza nel contesto della cittadina di Richieri e delle risate che la loro comparsa suscitava tra la gente. Avevano accettata come loro la forma che gli altri avevano imposto loro e se qualcuno non rideva alle loro affermazioni essi «gli lanciavano obblique occhiataccie, non pur di sospetto, anche d'odio. Perché la derisione degli altri era ormai l'aria in cui il loro sogno respirava. Tolta la derisione, rischiavano di soffocare» (vol. III, p. 1344).

5. *Il notaro Stampa, l'omiciattolo nero, la folla*

«Quel notaro Stampa là, che conosciamo tutti» (vol. III, p. 1346) è cosí pienamente e semplicemente descritto da Pirandello. Egli è conosciuto da tutti perciò non ha bisogno di ulteriori spiegazioni e chiarificazioni. Pirandello lo presenta solo in relazione ad un colloquio con Moscarda. Il dialogo di Moscarda è senza senso e confuso eccetto per quei fatti chiari e precisi che si possono definire con acuratezza matematica e storica. Nella confusione dei fatti il notaro Stampa segue il protagonista del romanzo «tra turbato e stordito» (vol. III, p. 1348) e le volontà di Moscarda che egli nasconde nel segreto professionale sono il primo esperimento. L'esperimento di Moscarda consiste nello sfrattare Marco di Dio da una catapecchia e di regalargli una abitazione piú decente, la casa medesima di Moscarda.

Lo sfratto avviene in un giorno di pioggia e Moscarda è presente tra il delegato e due guardie. La presenza dell'«usuraio» suscita un impeto d'ira in Marco di Dio che tenta di uccidere il suo padrone di casa. Moscarda è salvato dal delegato e sulla scena appare «un omiciattolo nero, malandato ma d'aspetto feroce, giovane di studio del notaro Stampa» (vol. III, p. 1361), che invita la folla alla calma e pronuncia le parole profetiche: la donazione della casa da parte di Moscarda a Marco di Dio.

Il momento tanto atteso della trasfigurazione è ormai raggiunto, ma la folla non ascolta e continuamente grida «morte, abbasso... usuraio, usuraio...» (vol. III, p. 1361). Finalmente il delegato notarile riesce a far intendere la propria dichiarazione e la folla allora trasecola e dal mezzo di essa tante domande si susseguono una all'altra: «Lui? — Una casa? — Come? — Che cosa? — Silenzio! — Che dice?» (vol. III, p. 1362). Il vocio si fa intenso e indistinto e la folla sembra avere una voce unica.

La coralità della folla non cessa a questo avvenimento e continua sino alla fine quando assieme a Marco di Dio grida «pazzo.pazzo.pazzo.» L'attitudine della folla di Richieri nei riguardi di Moscarda porta alla mente un processo storico molto piú famoso, quello di Cristo in Palestina, e nel susseguirsi rapido dei movimenti e nelle esclamazioni i rapporti tra i due avvenimenti inducono a pensare alla profonda carica di realismo data da Pirandello a questa scena. Quanto piú volitiva e distinta è l'affermazione della folla tanto piú Moscarda è consapevole della propria esistenza.

6. *Il suocero*

La vitalità e la chiarezza delle descrizioni precedenti si verifica anche nella descrizione di Moscarda riguardo al proprio suocero:

> Molto curato, non pur nei panni, anche nell'acconciatura dei capelli e dei baffi fino all'ultimo pelo; biondo, biondo, e d'aspetto, non dico volgare, ma comune ad ogni modo... e anche quella sua testa ben ravviata e quelle sue mani cosí tornite e levigate... potevano apparire senza alcun scapito e sposte mozze di cera nella vetrina di un parrucchiere e di un guantiao... gli occhi cilestri smaltati nella

beatitudine di un perenne sorriso per tutto ciò che gli usciva dalle labbra coralline (vol. III, p. 1386).

Il punto limite di questa descrizione è nella visione del suocero come «un fantoccio da sarto e testa da ve- trina da barbiere» tanto pareva finta la sua persona fisica e la propria espressione. Finalmente anche per lui avviene l'elemento del contrasto: verso la fine del romanzo egli si presenta sotto tutt'altro aspetto agli occhi del lettore: «tutto scomposto e agitato.» Questa visione è inaspettata da Moscarda ed egli se ne serve per tutta una serie di deduzioni umoristiche sulla sua persona e sul modo che veniva compreso dagli altri, da come appare nei due capitoli del libro sesto: «Io, dico, poi, perché» e «Vincendo il riso.»

La rappresentazione del suocero è forse una delle piú valide del romanzo per la profonda carica umori- stica che spinge il lettore a comprendere quest'uomo anziano secondo la legge del sentimento del contrario. Il limite di dissolvimento che si scopre attraverso la descrizione del suocero è un indice sicuro nel dimos- trare come i personaggi pirandelliani siano avvolti nei loro casi e situazioni.

7. *Monsignor Partanna e il Canonico Sclepis*

Il vescovo ed il canonico, che avranno tanta parte nella decisione finale di Moscarda, sono descritti allo stesso modo di Monsignor Partanna della novella *Di- fesa del Meola* (82) (1909) e del Canonico Landolina della novella *I fortunati* (83) (1911). I brani relativi del

---

(82) È il racconto di come il Meola salva la diocesi di Monte- lusa dalla tircheria del vescovo e dal ritorno in diocesi dei padri liguorini chiedendo in sposa la nipote del vescovo, dopo averla rapita. Ella è gobba ed il Meola chiede al vescovo, come dote, un'ingente somma di denaro.

(83) La novella presenta come i «fortunati» siano i debitori del

romanzo sono tratti dai capitoli «Un vescovo non comodo» e «Un colloquio con Monsignore» del libro settimo. Siccome i brani sia delle novelle come quelli del romanzo sono in comune si procederà qui ad un confronto:

UNO, NESSUNO E CENTOMILA	*DIFESA DEL MEOLA*
A Richieri si era *avvezzi al* (84) *fasto, alle maniere gioconde e cordiali,* alla copiosa munificenza del suo defunto predecessore, il defunto *Eccell.mo Monsignor Vivaldi; e tutti* perció *si erano sentiti stringere il cuore allorché* avevano *veduto per la prima volta scendere a piedi dal palazzo vescovile lo scheletro intabarrato di questo vescovo nuovo, tra i due segretari che lo* accompagnavano...	*Avvezzi com'erano* da tempo *al fasto alle maniere gioconde e cordiali* dell'*Eccell.mo* nostro *Monsignor Vivaldi e tutti* noi Montelusani *ci sentimmo stringere il cuore allorché* vedemmo *per la prima volta scendere dall'alto* vetusto *palazzo vescovile, a piedi lo scheletro intabarrato di questo vescovo nuovo tra i due segretari...*
Un vescovo a piedi? Dacché il vescovado sedeva come una tetra *fortezza in cima alla città, tutti i vescovi erano sempre scesi in* bella carrozza con l'attacco a due, gale rosse e pennac-	*Un vescovo a piedi? Dacché il vescovado sedeva* lassú *come una fortezza in cima al paese, tutti i* Montelusani avevano *sempre veduto scendere in carrozza* i loro vescovi al viale del

---

defunto padre di Don Filomarino, sacerdote. Egli erede di una certa quantità di cambiali si scarica di tale peso con Mons. Landolina, il quale lo userà per carità chiedendo il 24% di interesse ai debitori.

(84) Le parole in corsivo spesso indicano una affinità di contenuto, ma il piú delle volte una completa somiglianza nelle parole, nella costruzione sintattica e nel contenuto.

4

chi. *Ma all'atto stesso della
sua insediatura Mons. Partanna aveva detto che ve-
scovado è nome d'opera e
non d'onore.* E aveva licen-
ziato servi e cuoco, cocchiere e famigli, smesso la car-
rozza e inaugurato la più
stretta economia con tutto
che la diocesi di Richieri
fosse una delle più ricche
d'Italia (vol. III, p. 1400).

Paradiso. *Ma vescovado, disse Mons. Partanna fin dal
primo giorno insediandosi,
è nome d'opera e non d'onore. E smise la vettura, licen-
ziò cocchiere e lacchè, ven-
dete i cavalli e i paramenti
inaugurando la più stretta
tircheria* (vol. I, pp. 144-145).

*Per le visite pastorali nel-
la diocesi* molto trascurate
dal suo predecessore e da
lui invece osservate *con la
massima vigilanza ai tempi
voluti dai canoni, non ostante le gravi difficoltà delle
vie e la mancanza di comu-
nicazioni* si serviva di car-
rozze d'affitto anche d'asi-
ni e di muli (vol. III, p.
1400).

Mons. Partanna faceva *con
la massima vigilanza ai tempi voluti dai canoni le visite
pastorali nella diocesi, non
ostante le gravi difficoltà
delle vie e* di veicoli (vol. I,
p. 150).

Sapevo, poi da Anna-Rosa
che *tutte le suore dei cinque monasteri* della città
tranne ormai quelle decre-
pite della Badia Grande, *lo
odiavano per le crudeli disposizioni emanate* contro di
loro *appena insediatosi vescovo*

*Sapevo che tutte le mona-
che delle cinque badie* di
Montelusa

odiavano anch'esse cordial-
mente Mons. Partanna per-
ché *appena insediatosi vescovo aveva dato* per esse tre
disposizioni, una più *crudele* dell'altra.

cioè *che non dovessero più*

1) *che non dovessero più*

preparare né vendere dolci
e rosolii, quei buoni dolci
di miele e pasta reale in-
fiocchettati e avvolti in fili
d'argento, quei buoni rosolii che sapevano d'anice e
di canella. E non piú rica-
mare neanche arredi e paramenti sacri, ma far soltanto
la calza.

E infine che non dovessero
avere piú un confessore particolare ma servirsi tutte
senza distinzione del padre
della Comunità (vol. III, p.
1400).

preparare né vendere dolci
e rosolii, quei buoni dolci di
miele e pasta reale infioc-
chettati e avvolti in fili d'argento, quei buoni rosolii che
sapevano d'anice e di ca-
nella.
2) che non dovessero rica-
mare piú neanche arredi e
paramenti sacri ma far soltanto la calzetta.
3) che non dovessero avere
piú un confessore particolare ma servirsi tutte senza
distinzione del padre della
Comunità (vol. I, p. 148).

Il brano successivo del romanzo proviene invece
dalla novella *I fortunati* del gruppo *Le Tonache di Montelusa* (85) come la novella precedente *Difesa del Meola*.
Mosignor Landolina della stessa novella ha la stessa
descrizione del Canonico Sclepis del romanzo. Il collegio degli oblati è descritto allo stesso modo sia nel
romanzo come nella novella. Monsignor Sclepis nella
novella *Difesa del Meola* è il nome di uno dei due se-
gretari vescovili.

---

(85) *Tonache di Montelusa* racchiude nella triade oltre alla *Difesa del Meola* e *I fortunati* una terza novella *Visto che non piove*
(1913). Tutte e tre queste novelle hanno un alto grado di comico
e di satirico specie in relazione al clero della sua città natale.

UNO, NESSUNO E CENTOMILA

Don Antonio Sclepis, canonico della Cattedrale e *direttore del Collegio degli Oblati... che sorge* non lontano dal palazzo vescovile *nel punto più alto della città, ed era un vasto antichissimo edificio quadrato e fosco esternamente roso tutto dal tempo e dalle intemperie,* ma tutto bianco, *arioso e luminoso, dentro, vi sono accolti i poveri orfani e i bastardelli di tutta la provincia, dai sei ai diciannove anni, ai quali vi imparano le varie arti e i vari mestieri. La disciplina vi è così dura,* che *quando quei poveri Oblati alla mattina e al vespro cantano al suono dell'organo nella chiesa del Collegio le loro preghiere, a udirle da giù,* quelle preghiere *accorano come un lamento di carcerati.*

A giudicarne dall'aspetto, *non pareva che* il canonico Sclepis *dovesse avere in sé tanta forza di dominio e così dura energia. Era un prete lungo e magro, quasi diafano, come se* tutta l'aria o *la luce* dell'altura *dove viveva non solo lo avessero scolorito, ma anche rarefatto e gli avessero reso le*

I FORTUNATI

Monsignor Landolina *direttore del Collegio degli Oblati...* Il Collegio degli Oblati *sorgeva nel punto più alto del paese, ed era un vasto antichissimo edificio quadrato e fosco esternamente roso tutto dal tempo e dalle intemperie, all'interno arioso e luminoso, dentro, vi erano accolti i poveri orfani e i bastardelli di tutta la provincia, dai sei ai diciannove anni, i quali vi imparavano le varie arti e i vari mestieri. La disciplina era così dura,* specie sotto Mons. Landolina, e *quando quei poveri Oblati alla mattina e al vespro cantavano al suono dell'organo nella chiesa del Collegio le loro preghiere, a udirle da giù,* sapevan di pianto, provenienti da quella fabbrica fosca nell'altura, *accoravano come un lamento di carcerati.*
Monsignor Landolina *non pareva* affatto *che dovesse avere in sé tanta forza di dominio e così dura energia. Era un prete lungo e magro, quasi diafano, come se la* gran *luce* di quella bianca cameretta, *dove viveva non solo lo avesse scolorito, ma anche rarefatto e gli avesse reso le mani di*

mani di una gracilità tremula, quasi trasparenti e sugli occhi chiari ovati le palpebre piú esili di un velo di cipolla. Tremula e scolorita aveva anche la voce e vani anche i sorrisi sulle lunghe labbra bianche, tra le quali spesso filava qualche grumetto di biascia...

una gracilità tremula, quasi trasparenti e sugli occhi chiari ovati le palpebre piú esili di un velo di cipolla. Tremula e scolorita aveva anche la voce e vani anche i sorrisi sulle lunghe labbra bianche, tra le quali spesso filava qualche grumetto di biascia...

Bene, bene, figliuolo. Un gran dolore. Ringraziane Dio. Il dolore

ti salva, figliuolo. Bisogna esser duri con *tutti gli sciocchi che non vogliono soffrire. Ma tu per tua ventura hai molto, molto da soffrire, pensando a tuo padre, che poveretto, eh... fece tanto tanto male. Sia il tuo ciligio il pensiero di duo padre* (vol. III, pp. 1403-1404).

Ah già *un gran dolore* — disse — *Bene, bene, figliuolo. Un gran dolore, mi piace. Ringraziane Dio. Tu sai come sono per tutti gli sciocchi che non vogliono soffrire. Il dolore ti salva figliuolo.*

E tu hai molto, per tua ventura hai molto da soffrire, pensando a tuo padre, che poveretto, eh... fece tanto tanto male. Sia il tuo ciligio il pensiero di tuo padre (vol. I, pp. 157-158).

Il raffronto tra i vari testi del romanzo e delle novelle presenta un trasferimento di contenuto dalle novelle al romanzo. La forza di adattamento si fa sentire piú volte anche quando in certi casi il procedere dell'azione non è invertito.

La data di composizione delle novelle fa pensare che i brani siano stati composti contemporaneamente e Pirandello se ne sia servito sia per il romanzo sia per le novelle. Si può inoltre pensare, come del resto succede in altre occasioni, che Pirandello si sia servito dei brani precedenti, come brani preesistenti, adattandoli però alle circostanze e alle caratteristiche di fatto, che voleva descrivere.

La descrizione del vescovo e del canonico rispecchiano realisticamente la situazione ecclesiastica della Sicilia e dell'Italia del tempo e per certi aspetti hanno anche un carattere di attualità. Da un lato l'ascetismo del Vescovo in una nuova diocesi e dall'altra la tirchieria e l'avarizia del canonico in una situazione comune per una curia vescovile dove sotto il nome della carità cristiana molte cose vengono mascherate.

La vicenda di Don Filomarino e di Moscarda hanno delle similarità stringenti soprattutto quando tutte e due sono chiamati dal canonico a far penitenza per i peccati e l'avarizia dei rispettivi padri, ma in realtà chi ne pagherà le conseguenze sarà il popolo perché verrà vessato attraverso la giustizia e la carità divina, una carità però aliena allo spirito evangelico sebbene predicata dal pulpito della Chiesa di Cristo.

Monsignor Partanna, il vescovo della novella *Difesa del Meola* e del romanzo *Uno, Nessuno e Centomila*, non è da meno in relazione agli altri personaggi e la descrizione umoristica che lo presenta al lettore è un capolavoro della tecnica narrativa di Pirandello, che se ne è saputo servire a buon ragione piú volte. Lo stesso si può dire per il canonico Sclepis e il canonico Landolina. Sotto la facile espressione esteriore di un falso ascetismo è infatti riscontrabile nei vescovi e nei canonici del romanzo e delle novelle uno spirito di attaccamento al mondo attraverso la sete insaziabile per il denaro in nome di una causa onorevole, quella di provvedere per gli orfanelli della provincia (86).

---

(86) Jorn Moestrup, op. cit., pp. 105-106. «Anticlericalism is a constant feature of his work, and nearly all the priests who appear in it are unsympathetic or comic. His relationship to the official

8. Le suore, la zia di Anna-Rosa e il giudice

Nella luce di spiritualità in cui sono raffigurati Monsignor Partanna e il Canonico Sclepis Pirandello pone anche le sette suore della Badia Grande, dove avviene il primo convegno tra Anna-Rosa e Moscarda. Esse sembrano vivere già nella futura «beatitudine celeste» e appaiono al lettore in quella realtà evanescente che è frutto dell'effetto spirituale di distacco dalle cose di questo mondo.

Ben diversa è la rappresentazione della zia di Anna-Rosa «grassa, apatica, con gli occhi biavi, orribilmente strabi... con le mani gonfie, pallide sul ventre; pareva un mostro d'acquario» (vol. III, p. 1408). Qui la materialità del corpo ha il sopravvento, si ritorna sulla terra dopo le elevazioni spirituali precedenti.

Il giudice scrupoloso, che deve informare il processo «aveva della talpa, con quelle sue manine sempre alzate vicino alla bocca, e i piccoli occhi plumbei, socchiusi; scontorto in una magra personcina mal vestita, con una spalla piú alta dell'altra. Per via andava di traverso, come i cani, benché tutti dicevano, che moralmente, nessuno sapeva rigare piú dritto di lui» (vol. III, p. 1412).

Dalla vaghezza di forme in cui le suore sono descritte, come per indicare che per mezzo dello spirito loro sono già fuori del mondo, Pirandello ritorna con la descrizione del giudice e della zia alla voluminosità delle cose corporee. Egli ritorna a terra dopo essere salito attraverso la negazione della carne al cielo. Mentre le suore rimangono indistinte nel chiaroscuro della

---

religion is clearly defined. He does not believe in Catholicism or any organized religion, and he seems to have given up his childhood faith at an early point in his life.... Pirandello shows great respect for other people's religious feelings, even when they appear within the framework of the official religion. Strong conviction deserves respect in itself, as shown in the story *Faith* (*La fede*, 1914).

Badia, come al confine tra mondo ed eternità, il giudice e la zia sono chiaramente parte di questo nostro mondo terreno ed il lettore attraverso la minuziosa descrizione dei loro caratteri fisici è capace di riconoscere in essi persone reali con cui stabilisce un sistema di rapporto ogni giorno.

Il sentimento del contrario non manca nella descrizione dei personaggi sopra accennati, soprattutto nel giudice, vivo esempio della giustizia legale in quel suo camminare a randagio come i cani sebbene insuperabile da altri uomini per la sua rettitudine morale. L'effetto voluto è spesso ottenuto attraverso l'unione di un giudizio morale che accompagna inevitabilmente il personaggio in ogni sua descrizione fisica.

Gli stessi elementi che caratterizzano i personaggi del romanzo sono anche usati da Pirandello per dare colore ai ricordi di Moscarda. Il protagonista infatti attraverso i suoi ricordi presenta persone conosciute e tutti coloro che hanno avuto una certa influenza nelle proprie attitudini morali e sociali. L'unione psicologica tra elementi fisici e giudizio morale si nota anche nel ricordo che Moscarda presenta del proprio padre:

> Alto, grasso, calvo. E nei limpidi quasi vitrei occhi azzurini il solito sorriso gli brillava per me, d'una strana tenerezza, c'era un pò compatimento, un pò derisione, anche, ma affettuosa.... Questo sorriso, nella barba folta, cosí rossa e cosí fortemente radicata che gli scoloriva le gote, questo sorriso sotto i grossi baffi, un pò ingialliti nel mezzo, era tradimento, era una specie di ghigno muto e freddo... vedevo la mia angoscia... affigersi in certe veniccciuole azzurognole che gli straripavano serpeggianti su su per la pallida fronte con pena, sul lucido cranio contornato dai capelli rossi, rossi come i miei, cioè i miei come i suoi (vol. III, pp. 1326-1327).

Nella descrizione del padre Moscarda presenta un

ritratto chiaro e preciso con una nota di approsima-
zione e di sfumato e a volte una vaghezza di movenze
dove il contorno è forte e marcato con tratteggio nitido
e preciso e con un colore facente parte della linea
d'insieme.

Altre due persone sono presentate al lettore attraverso il ricordo di Moscarda, in esse come al solito non
manca il giudizio morale alla descrizione fisica, anzi
tale giudizio serve a verificare e a completare l'ambiente. Si consideri al riguardo la descrizione del vecchiet-
to pensionato: «sempre vestito bene, di pulita semplicità, piccolino ma con un che di marziale nell'esile
personcina impettorita e anche nella faccina, sebbene
un pò sciupata di colonnello a riposo. Di quà e di là
come scritti calligraficamente, aveva due esemplari
occhi di pesce, e tutte segnate le guancie di una fitta
trama di venuzze violette» (vol. III, p. 1305). Oppure
quando Moscarda introduce il Signor Porcu, sardo:
«pulito, pulito e sorridente rispondeva, tanto che uno
si vergognava a chiamarlo cosí» (vol. III, p. 1325).

La chiarezza delle descrizioni qui sopra accennate
produce delle zone d'ombra e di liricità espressiva che
distendono la lettura del romanzo soprattutto quando
il filosofare di Moscarda rende *Uno, Nessuno e Centomila* noioso ed estenuante. La precisione piú minuta
della descrizione dei personaggi del romanzo è come
un filo conduttore che collega le pagine piú belle delle
novelle e le didascalie teatrali, attraverso il gusto della
narrazione.

CAPITOLO SECONDO

A. MOLTEPLICITÀ DELLA PERSONALITÀ (1)

La molteplicità della personalità è per Pirandello un aspetto centrale della vita umana. Esso viene toccato in quasi tutte le sue opere (2) ed è piú o meno connesso con tutti gli altri problemi dell'uomo, desideroso di conoscersi.

1. Il problema della personalità

In *Uno, Nessuno e Centomila* il problema della personalità di Vitangelo Moscarda si trova al centro di

---

(1) Umberto Cantoro, *L'altro me stesso*. Verona, 1939, p. 13. «Lo sdoppiamento della personalità umana costituisce una delle piú appassionanti scoperte della letteratura contemporanea. Se tracciamo una croce sulla carta geografica d'Europa, troviamo scritti alle quattro punte quattro nomi: Oscar Wylde, Dostjewskij, Ibsen e Luigi Pirandello; e al punto d'intersezione, quel mago delle lettere francesi: Theophile Gautier; i quali tutti s'aggirano in vario modo intorno a questo problema psicologico. E gli esempi si potrebbe moltiplicare.» Cfr. anche Giuseppe Gancia Battaglia, *Luigi Pirandello. Saggio storico-critico*. Palermo, 1967, p. 61. Lo sdoppiamento della personalità e l'analisi interiore sono qui esaminate profondamente.

(2) Oltre che nel romanzo in questione tale problema appare in modo particolare nei romanzi *Il Fu Mattia Pascal*; *Serafino Gubbio operatore*; e nelle seguenti novelle: *Dialoghi tra il piccolo me e il gran me*; *Risposta*; *Stefano Giogli, uno e due*; *La maschera dimenticata*; *La toccatina*; *La carriola*; *Zuccarello distinto melodista*; *Men-*

tutta la trama del romanzo. Tale problema si sviluppa nel rapporto che esiste tra individuo e realtà, tra individuo e società. Nel romanzo l'«io concreto» sotto le vesti di Moscarda, è l'uomo in continuo movimento, come una specie di eterno fluire e perciò mai fissabile, e cercare di definirne e determinarne i vari momenti e stati d'animo, significa spesso uscire da ogni unità psicologica dell'uomo (3).

La personalità (4) può essere definita come l'insieme di diverse attitudini e reazioni della medesima persona, che spesso agisce contradittoriamente. Da questa definizione si possono distinguere due aspetti diversi della personalità: a) la variabilità continua dell' individuo; b) il valore della coscienza come substrato unificatore dell'uomo.

Vitangelo Moscarda, confondendo l'apparenza con la sostanza pensa e crede che l'uomo sia l'insieme di diverse personalità: cioè quante siano le sue manifestazioni esteriori o la diversa conoscenza che di lui hanno gli altri. Spiega infatti: «Conosco Tizio. Secondo la conoscenza che ne ho, gli dò una realtà, per me. Ma Tizio lo conoscete anche voi, certo quello che conoscete voi non lo conosco io, perchè ciascuno di noi lo conosce a suo modo e gli dà a suo modo una realtà. Ora anche per sé stesso Tizio ha tante realtà per quanti di noi lo conosce, perchè in un modo si conosce con me e in un altro con voi e con un terzo, con un quarto e via dicendo» (5) (vol. III, p. 1333). «Possiamo perciò con-

---

tre il cuore soffriva; e nei drammi: *Trovarsi; Lazzaro; Non si sa come; Ciascuno a suo modo; Sei personaggi in cerca d'autore; Quando si è qualcuno; Enrico IV; Come tu mi vuoi; La signora Morli, una e due; Così è (se vi pare); Il piacere dell'onestà; Ma non è una cosa seria; La vita che ti diedi.*

(3) Cfr. Arminio Janner, *Luigi Pirandello.* Firenze, 1969, pp. 10-14 passim.

(4) Cfr. Giovanna Abete, *Il vero volto di Luigi Pirandello.* Roma, 1961, p. 217.

(5) È interessante notare quello che ha detto il psicologo Allport

cludere — con Federico Italia — che noi non conosciamo realmente gli altri, ma quando veniamo a contatto con gli altri esseri li trasformiamo, diamo loro una realtà, secondo la conoscenza che ne abbiamo» (6).

In queste affermazioni è racchiuso il dramma del personaggio pirandelliano, che si scopre diverso secondo chi lo avvicina. Un parallelismo si trova in due novelle: *Risposta* (7) (1912) e *I pensionati della memoria* (8) (1914). «Non solo ma tante e tante altre amico mio quanti e quanti altri sono quelli che la conoscono e che lei conosce... e per gli altri che la conoscono, ciascuno a suo modo» (vol. III, p. 234). «La realtà che egli si dava, voi non la sapete, non potete saperla perché era in lui e fuori di voi; voi sapete quella che gli davate voi» (vol. II, p. 123).

Gordon, *Personality: a psychological interpretation*. New York, 1937, p. 288. «Pirandello points out that a man's personality seem to vary with the expectations and prejudices of his associates (biosocial view of personality). To one he may be a saint, to another a sinner, a hated enemy or a trusted ally. Whoever chooses to view a character in a particular fashion, is, in a sense right, (if he thinks he is). But wherein he does, the multiplicity lies surely not within the person itself, the variability lies rather in the fact of their judgement of him, many people project their own desires and biases.» Cfr. anche Umberto Cantoro, *Luigi Pirandello e il problema della personalità*. Bologna, 1964, pp. 12-14.

(6) Federico Italia, *L'esistenza umana, secondo Luigi Pirandello*. Roma, 1968, p. 55.

(7) La novella vuol essere una lettera di risposta ad un amico scrittore; in questa risposta sui generis sono contenuti consigli sulla trama, sui personaggi e sui luoghi del romanzo che l'amico sta scrivendo; dall'ordinata esposizione dei vari consigli, a seconda del caso, Pirandello arriva alle proprie conclusioni sulle varie «realtà» di Anita, l'eroina della novella e del romanzo.

(8) I «pensionati della memoria» sono i morti, cosí chiamati da Pirandello perché sopravvivono nella memoria dei vivi. Nella trama della novella è unito il ricordo di persone conosciute al rapporto vita-morte ed il conseguente valore della realtà, come proiezione dell'uomo al di là dell'illusione. Il tema profondo della novella sta appunto nel modo che ognuno di noi dà a sé stesso per procurare e credere in una forma propria di realtà.

«Altra conseguenza ancora: se la nostra personalità cambia continuamente secondo la persona con la quale trattiamo, tale nostra personalità cambia ancor piú e continuamente col progredire del tempo cioè nel corso della vita; poiché sempre altre persone altri aspetti ci circondano, altre forze vitali sorgono in noi, al posto di quelle dell'infanzia e della gioventù. Noi siamo dunque «un seguito,» «una somma» di personalità; di cui una magari fra queste, creduta morta e scomparsa, divenuta a noi straniera, può in circostanze speciali, improvvisamente riapparire» (9).

Dopo le premesse enunciate non resta altro che affermare come l'unità psicologica di Moscarda sia frantumata e per sempre gli è impossibile trovare il suo vero «io,» anzi lo sforzo lo esaspera e lo dissillude (10).

2. «Fatto» biologico

Alla constatazione della base molteplice della propria personalità Moscarda reagisce con un lungo filosofare e scopre che non c'è alcuna relazione tra il

---

(9) Cfr. Arminio Janner, op. cit., pp. 230-231. Nelle due novelle *L'Ave Maria di Bobbio* e *Il treno ha fischiato* questo tema di personalità molteplice dovuta al passare del tempo è chiaramente espresso dai due personaggi Marco Saverio Bobbio, che riscopre sé stesso bambino in una fede dimenticata; e Belluca che riscopre un proprio io del passato, ben diverso dall'attuale, in una notte, sentendo il treno fischiare.

(10) Arminio Janner, op. cit., p. 229. «Già nel 1909 il Pirandello pubblica nel *Marzocco* un racconto dal titolo *Stefano Giogli, uno e due* che illustra la stessa tesi; la immagine che Stefano Giogli aveva di sé stesso (immagine uno) non era quella che di lui aveva la moglie (immagine due). E la moglie di Stefano Giogli non è affatto gelosa, ma ama intensamente suo marito. Da questo racconto germoglierà piú tardi, come dal nocciolo, la strana pianta di serra che è il romanzo *Uno, Nessuno e Centomila*. Nel quale romanzo Vitangelo Moscarda, il protagonista, s'accorge che non solo la moglie si fa di lui un'immagine che è in tutto diversa da quella ch'egli ha di sé, ma quante persone gli stanno in giro, altrettante

propio pensiero ed il proprio naso. Si ricordi che la scoperta fatta dalla moglie Dida, del naso pendente a destra, è una realtà importante nello svolgersi della tematica del romanzo (11). Trovata l'origine di ogni suo problema Moscarda cerca di trovare un punto di partenza solido abbastanza per raggiungere la meta della propria unità psicologica. Come prima affermazione egli annuncia il proprio nome: Moscarda, e prosegue con la descrizione fisica della propria persona, a cui il nome era legato come il suo spirito «non aveva mica un nome per sé, né uno stato civile» (vol. III, p. 1323).

Parlando dei suoi «dati di fatto» (12), come se fosse un estraneo, Vitangelo Moscarda, si presenta come «figlio del fu Francisco Antonio Moscarda, di anni ventotto.... nato anno tale, mese tale, giorno tale, nella nobile città di Richieri (13), nella casa in via tale, numero tale, dal signor Tal dei Tali, dalla signora Tal dei Tali; battezzato nella chiesa madre di sei giorni; mandato a scuola d'anni sei; ammogliato di anni ventitrè;

---

immagini di lui esistono. Ciascuno, secondo i sentimenti che prova per lui, se n'è costruita una. Di Vitangelo Moscarda non ve n'è dunque uno, ma ve ne sono centomila. E quí il Pirandello, dall'indiscutibile esistenza di varie immagini della stessa persona (vedi anche la novella *Risposta*) immagini che in verità non sono che delle varianti di una stessa e sola immagine, passa all'illecita deduzione di farne tante immagini al tutto distinte, il che non corrisponde alla realtà.»

(11) I protagonisti delle novelle *La camera in attesa* (1916); *Va bene* (1905); *Risposta* (1912) hanno pure, come Moscarda, un lieve diffetto nasale.

(12) La passione per i «dati di fatto» si rispecchia anche nella descrizione riguardo al notaro Stampa. «Nello studio del notaro Stampa, in via del Crocefisso numero 24. Perché (eh questi sicurissimi dati di fatto) a dí... dell'anno..., regnando Vittorio Emanuele III, per grazia di Dio e della Nazione Re d'Italia, nella nobile città di Richieri, in via del Crocefisso al numero civico 24, teneva studio il signor Stampa, cavalier Elpidio di anni 52 o 53».

(13) Il nome Richieri appare inoltre nella novella *L'Ave Maria di Bobbio* (1912).

alto di statura un metro e sessantotto; rosso di pelo ecc...ecc...» (vol. III, p. 1335).

A questi dati anagrafici Moscarda aggiunge la descrizione della propria persona fisica: «Eh, altro. altro. Le mie sopracciglia parevano due accenti circonflessi (^^), le mie orecchie erano attaccate male, una piú sporgente dell'altra; ed altri diffetti... Ancora? Eh si ancora: nelle mani al dito mignolo e nelle gambe (no storte no), la destra un pochino piú arcuata dell'altra: verso il ginocchio un pochino» (vol. III, p. 1285). Tale descrizione con alcune varianti, a seconda del caso si ripete piú volte nel romanzo (14). Anche nelle novelle non manca la passione di descrivere minutamente le parti fisiche della persona umana, esempi molto chiari si trovano nelle due novelle (15) *La trappola* (1912) e *Mentre il cuore soffriva* (1927).

----

(14) È interessante mettere in forma di nota tutti i brani del del romanzo in cui Moscarda ripete la descrizione fisica della propria persona: «E io vidi che il naso mi pende verso destra, ma lo so da me; non c'è bisogno che me lo dica tu; e le sopracciglia? ad accento circonflesso. Le orecchie qua una piú sporgente dell'altra, e qua, le mani: piatte eh? e la giuntura storta di queste qua, ti pare che sia come quest'altra? non eh? Ma lo so da me e non c'è bisogno che me lo dica tu» (vol. III, p. 1289). «Gli guardai i capelli rossigni; la fronte immobile, dura, pallida; quelle sopracciglia ad accento circonflesso; gli occhi verdastri, quasi forati qua e là nella cornea da macchioline giallognole; attoniti senza sguardo; quel naso che pendeva verso destra, ma di tanto aquilino; i baffi rossicci che nascondevano la bocca, il mento solido un pò rilevato» (pp. 1298-1299). «Ero io? Ma potevo anche essere un altro. Chiunque poteva essere quello lí. Poteva avere quei capelli rossi, quella sopracciglie ad accento circonflesso e quel naso che pendeva a destra, non soltanto per me, ma anche per un altro che non fossi io.... Eppure, io ero per tutti, sommariamente quei capelli rossigni, quelli occhi verdastri e quel naso; e tutto quel corpo lí che per me era niente» (p. 1299). «Moscarda, un signore era da trattare coi dovuti riguardi, alto uno e sessantotto, rosso di pelo come papà, con le sopracciglie sí ad accento circonflesso e quel naso che gli pendeva verso destra» (p. 1346).

(15) «Gli occhi, il naso, la bocca, gli orecchi, il torso, le gambe, le braccia, le mani» (vol. I, p. 681). «Non solamente le dita delle mani, ma anche quelle dei piedi, imprigionate, e piedi tutti interi

Nella descrizione fisica della persona umana Moscarda non si limita a sé stesso ma applica la propria scoperta ad altri personaggi del romanzo, che in un modo o un altro vengono a contatto con lui. «Gli domandai dal canto suo se egli sapesse di aver nel mento una fossetta che glielo divideva in due parti non del tutto eguali: una piú scempia di là, una piú rilevata di qua» (vol. III, p. 1289). Oppure parlando dell'amico Firbo: «già e io allora gli scoprivo sul mento una fosseta che glielo divideva in due parti non perfettamente uguali, una piú rilevata di quà, una piú scempia di là» (vol. III, p. 1331). Si noti l'uguaglianza bei brani precedenti pur parlando di due persone completamente distinte.

O ancora, quando descrive Anna-Rosa: «tutte le espressioni di cui i suoi occhi cosí intensi, lucidi e vivaci, le sue narici frementi, la sua bocca rossa e sdegnosa, la mandibola nobilissima» (vol. III, p. 1401). I molti aggettivi usati nelle varie descrizioni dei personaggi e non solo della propria persona fanno pensare alla costante ricerca di Moscarda per ritrovare perfezionare una propria unità interiore.

3. Uno e molti

Il fisico di Moscarda è accompagnato dal suo essere spirituale, l'anima, attraverso cui il protagonista cerca di penetrare la propria realtà. Egli non può sentire come gli altri perché per una ragione semplicissima non è altra persona all'infuori di sé stesso. Da qui nasce il problema della propia unità molteplice, attraverso cui unità e molteplicità sono vissute in tutto

---

e le gambe e, sí su, il busto, le spalle, le braccia, il collo, e nella testa le guancie, le labbra, le pinne del naso, gli occhi, le sopracciglia, la fronte....» (vol. II, pp. 705-706).

5

l'orrore di un mondo chiuso e implacabile (16). La personalità come la vita non è fissa ma muta col tempo e la contingenza dell'esistenza creando cosí una serie infinita di possibilità.

Moscarda diventa perciò uno e molti, e gli altri che sono in lui sono sempre parte dell'uno. Ma egli, purtroppo, non può vederli e conoscerli come gli altri li vedono e conoscono e quando crede che sia possibile raggiungere l'unità «l'atroce dramma» si complica con la scoperta dei «centomila» Moscarda. Essi sono tutti in uno solo, essi hanno un solo nome: Moscarda, «tutti dentro il povero corpo, che era uno anch'esso, uno e nessuno» (vol. III, p. 1294).

La molteplicità di Moscarda ha due sorgenti: una interiore e l'altra esteriore. «Moscarda era tutto ciò che esso diceva e faceva in quel modo a me ignoto; Moscarda era anche la mia ombra; Moscarda se lo vedevano fumare; Moscarda se lo vedevano mangiare; Moscarda se andava a spasso; Moscarda se si soffiava il naso» (vol. III, p. 1324). Un altro rilievo molto interessante per capire la molteplicità della personalità di Moscarda si ricava nel capitolo «Moltiplicazione e sottrazione» del libro quinto di *Uno, Nessuno e Centomila*, dove il problema della molteplicità si estende da Vitangelo alla moglie Dida (17) e di conseguenza all'amico Quantorzo.

---

(16) Federico Italia, op. cit., pp. 88-89. In queste pagine l'Italia vede Pirandello non come un nihilista, la personalità per Pirandello non è un dono (romanticismo) o un dato di fatto (positivismo). Cfr. Giovanni Calendoli, *Luigi Pirandello*. Roma, 1962, pp. 45-46. Il tema fondamentale della via e della vita per Pirandello è la molteplicità dell'individuo che si rinnova senza tregua. Il personaggio pirandelliano si riconosce nella propria molteplicità.

(17) «Dida, com'era per sé. Dida com'era per me.
Quantorzo, com'era per sé. Quantorzo com'era per me.
Dida, com'era per Quantorzo. Quantorzo com'era per Dida.
Il caro Gengè di Dida. Il caro Vitangelo di Quantorzo» (p. 1371).
Cfr. anche le novelle *Stefano Giogli, uno e due* e *Risposta* e il romanzo *Giustino Roncella, nato Boggiolo*.

A causa della moltcplicità della propria personalità Vitangelo si sente invaso da un «estro» nuovo e «farneticava» per sé stesso nuove professioni e possibilità di esistenza: «avvocato, medico, professore, deputato,» prima e dopo un concitato colloquio col suocero, che invano cerca di portarlo nella strada della salvezza, secondo la società. Nella vita precedente, però, Moscarda non era mai riuscito a sistemare sé stesso in una delle professioni precedenti, quantunque il padre avesse fatto il possibile per rendergli ognuna di queste carriere un compito abbastanza facile. Veduta l'impossibilità di realizzare questi ambiti sogni per il figlio, il padre aveva deciso di ammogliarlo. Ma il nostro eroe non era stato neppure capace di dare un erede che avesse continuato la tradizione bancaria instaurata dal presunto nonno.

L'impossibilità di cristallizzare in una formula statica e definitiva l'io sfuggente c molteplice rende chiaro che Moscarda sarà per sempre condannato a scoprire i «molteplici» e gli «estranei,» tutti parte del suo essere. Nicola Petix della novella *La distruzione dell'uomo* (18) richiama quasi delicatamente questi tentativi non riusciti di Moscarda: «Frequentò per tanti anni le aule universitarie passando da un ordine di studi all'altro, dalla medicina alla legge, dalla legge alla matematica, da questa alle lettere e alla filosofia, non dando mai, è vero, nessun esame, perchè non si sognò mai di fare il medico o l'avvocato, il matematico o il letterato, o il filosofo» (vol. I, p. 899).

_____

(18) Il fatto raccontato dalla novella si svolge a Roma. Nicola Petix vinto dall'ozio e dall'odio per la vita decide d'uccidere la signora Porella per l'ennesima volta incinta. Con questo delitto egli riuscirà a spuntarla con le donne del vicinato, che egli odiava per la loro sporca figliolanza.

4. Coscienza

Il continuo scorrere di una infinita successione di stati psicologici produce soltanto motivi soggettivi di interpretazione e quindi è impossibile attribuire alcuna stabilità all'essere. L'unità dell'uomo è riscontrabile nella coscienza, ma nel filosofare di Moscarda anche questa unità è distrutta perché la coscienza «non è qualcosa di assoluto.» Questo fenomeno avviene in Moscarda sia a contatto con gli altri individui e sia nella propria solitudine interiore (19). «Ma allora cari miei non ci sarebbe coscienza» (vol. III, p. 1303) ammonisce Moscarda «purtroppo ci sono io e ci siete voi purtroppo» (vol. III, p. 1303). L'esistenza di tanti soggetti nell'individuo singolo rende impossibile la validità di ogni azione umana e di ogni fatto sociale. Mancando unità nella persona umana anche la coscienza è destinata a mutarsi continuamente.

Il tema della coscienza è trattato ampiamente da Pirandello in diverse opere tra cui *Il Fu Mattia Pascal* e *L'esclusa*. Sviluppando questo tema Pirandello espone la difficoltà che l'uomo chiuso in sé stesso trova quando cerca di afferrare un concetto che sia alla base della propria personalità. La novella *Quando ero matto* (20) (1902) sviluppa il problema della coscienza e la pone in relazione al «sentimento di Dio» come base e verità che essendo alla base della creazione dà ragione all'esistenza dell'uomo. Il raffronto tra novelle e il romanzo va oltre le quasi identiche affermazioni di

---

(19) Questo dramma particolare dell'uomo e la propria coscienza è studiato attentamente da Gösta Anderson nel suo libro *Arte e Teoria* ed egli fa notare come tale pensiero sia una costante in tutta l'opera pirandelliana.

(20) La novella presenta il lavorio interiore del protagonista alla scoperta della propria personalità. Essa è divisa in quattro parti: a) Fondamento della morale. b) Soldino. c) Mirina. d) Scuola di saggezza.

Moscarda e di Fausto Bandini: «Rientriamo, rientriamo nella nostra coscienza... ma ci rientravo non per veder me, ma per veder gli altri in me com'essi si vedevano, per sentirli in me com'essi in loro si sentivano e volerli com'essi si volevano» (vol. II, p. 164).

Riflettere vuol dire dunque richiamre alla mente il mistero dell'unità della propria persona; ma sia per Moscarda e sia per Bandini voler trovare la propria individualità vuol dire commettere una azione egoista «nella quale la parte si erige al posto del tutto e lo subordina» (vol. II, p. 164). La necessaria conclusione alle premesse precedenti è che non esiste certezza nella conoscenza umana ottenuta attraverso l'astrazione dell'universale al particolare e perciò è inutile considerare la coscienza umana come strumento infallibile del singolo e «specchio interiorc» (vol. III, p. 1303).

Il problema porta però con sé una soluzione estrema: la solitudine, che a sua volta spaventa Moscarda e lo atterisce. La coscienza di Vitangelo si smarrisce in questo labirinto umano perché quando crede di aver raggiunto la propria intimità comprende che si trova alla presenza di tutti, come se fosse in una piazza e denudato di ogni caratteristica individuale.

5. *Pazzia come liberazione*

Il dramma profondamente umano di Moscarda, che cerca di fissare la propria personalità, che continuamente gli sfugge, sta nella continuità logica delle proprie azioni portate a termine secondo il giudizio comune. Per allontanarsi e liberarsi dalle condanne di una vita falsa a sé stesso egli sceglie la via della «pazzia,» soluzione del resto non nuova nelle opere di Pirandello e che ricorre piú volte come anelito vivo di libertà (21), e senza dubbio non si può spiegare la

---

(21) Il problema della pazzia viene anche presentato nella no-

personolità di Moscarda (22) se non si ricorre alla pazzia.

La «violenza pazzesca» (vol. III, p. 1351) che lo conduce sulla «strada maestra della pazzia» (vol. III, p. 1352) è ricercata e voluta per fini puramente egoistici e di liberazione interiore. C'è però in essa un'altra caratteristica che non bisogna lasciar in disparte: la cosciente consapevolezza di una luce interiore nuova, nella quale egli può vedere e riconoscere, rispecchiandola all'esterno, la cecità e l'ignoranza in cui gli altri sono avvolti. Se si considera a fondo il colloquio col regio notaro Stampa, si vede come l'azione di Moscarda nello sfrattare Marco di Dio per donargli un'altra casa sia allo stesso tempo documentazione della sua pazzia agli altri e per lui sia invece uno scherzo col proposito di rendere una nuova immagine di sé agli altri. Ma egli non può scherzare perché essendo l'usuraio Moscarda sarà sempre condannato ad una determinata rappresentazione esteriore. L'eternità della condanna ricorda l'avventura del protagonista della novella *La carrio-*

---

vella *Fuoco alla paglia.* Nella novella il protagonista, considerato dagli altri uomini come un abbietto per vivere nella società civile, trova una libertà nuova ed infinita a contatto con la natura. Anche nel romanzo *Il Fu Mattia Pascal* il tema della falsa pazzia connesso con la libertà viene trattato. Ma in *Enrico IV* i temi della personalità molteplice, libertà e pazzia sono trattati in modo particolare.

(22) Federico Italia, op. cit., p. 23. «La pazzia da cui sono affetti i personaggi di Pirandello non è una malattia fisica, uno squilibrio mentale ma, nella maggior parte dei casi, è uno stato di estrema sincerità, una forma di liberazione per riacquistare sé stessi. Nel pessimismo pirandelliano, scrive C. Alvaro, in cui «l'individuo tanto piú si ritrova quanto piú si smarrisce, la pazzia assurge a saggezza superiore, nel dissolvimento di ogni sostanziale certezza» in cui non si trova altra migliore soluzione che immergersi e lasciarsi trascinare da questa corrente inesorabile che annulla la nostra volontà personale. C'è da osservare che la rivelazione o scoperta della verità (nel caso dei personaggi di Pirandello la scoperta del divenire della vita), può essere cosí improvvisa da rompere l'equilibrio psico-fisico e assumere le proporzioni della pazzia.» Cfr. anche Corrado Alvaro, «Significato di Luigi Pirandello» in *Quadrivio*, 18 novembre 1934. Cfr. Gabriel Marcel, *L'uomo problematico.* Torino, 1964.

la (23) (1916), condannato per sempre nella sua professione di avvocato costretto a sfogarsi in segreto giocando con la cagnetta. L'atto che compie non è ammissibile ad un avvocato nella posizione sociale che egli occupa.

La condanna sociale di una «forma» conduce sia il portagonista della *Carriola*, sia Moscarda verso un senso di «estraneità» della vita in cui essi difficilmente possono trovare sé stessi. Il travaglio che a loro resta nella pena costante della vita serve a Moscarda per raggiungere una forma nella «pazzia.» Gli atti che seguono la donazione della casa a Marco di Dio sono una testimonianza che Moscarda è «pazzo.pazzo.pazzo» e di questa convinzione nessuno dei cittadini di Richieri riuscirà piú a spogliarsi (24).

Nel donare la casa Moscarda era convinto di aver dimostrato non solo il contrario ma anche di aver cambiato le opinioni dei concittadini nei suoi riguardi: purtroppo deve accettare lo «status quo» — la pazzia come forma consapevole ed espressione esterna della propria personalità. Come il protagonista della novella *La Carriola* egli cerca di liberarsi in un momento solo ma ciò non è assolutamente possibile nel flusso continuo della vita.

---

(23) La novella racconta come un avvocato con tante responsabilità sente venirsi meno e perde il senso della «forma» in cui gli altri lo vedono. Egli ritrova la libertà nell'atto inconsulto di giocare a carriola con la cagna.

(24) Giuseppe Giacalone, *Luigi Pirandello*. Brescia, 1969, p. 195. «Il protagonista avvertiva tutta l'angoscia del suo isolamento e della sua inconsistenza umana. Quando la folla gli grida, tra gli urli della maledizione «Pazzo.Pazzo.Pazzo,» egli finalmente trova una soluzione alla sua angoscia. Infatti aveva proprio lui provocato quello scoppio feroce dell'indignazione della folla, «perché avevo voluto dimostrare, che potevo anche per gli altri, non essere quello che mi si credeva» (vol. III, p. 1362) cioè usuraio. In verità Vitangelo non vuole essere considerato usuraio, come il padre, anche se è vissuto per tutta la sua vita dei frutti e dei vantaggi di quell'usura della banca paterna.»

6. *Alienazione e solitudine* (25)

Considerata la propria vita alla luce delle richieste della società, a Moscarda non rimane altro che «un piacere» intimo di «alienazione» e l'abbandono eterno di trovare per sé una personalità chiara e distinta. Scoperta questa impossibilità egli diventa chiuso in sé stesso fisso nel proprio tormento, alienato dall'esistenza e soffocato da «un'angoscia atroce» (vol. III, p. 1300). Attraverso «lunghi spasimi» egli però continua incessantemente le sue ricerche cercando di dare una risposta esauriente, che spiegasse la sua pazzia, a tutti gli altri, che vivevano ciechi e «sicuri nella pienezza dei loro abituali sentimenti.»

Il procedere di Moscarda nello studio, nella costruzione ed infine nella distruzione della propria persona sembra seguire un disegno superiore a cui sono legati i motivi piú profondi dell'unità psicologica della persona umana. Non bisogna dimenticare che Moscarda «poteva sí impazzire, ma non si poteva distruggere» (vol. III, p. 1380). Quantunque alla fine della sua esistenza terrena egli ha «nessun nome (26), nessun ricordo del nome di ieri, del nome di oggi, del nome di domani» (vol. III, p. 1415) rimane sempre Moscarda agli occhi di tutti. Ciò è comprensibile perchè «il nome è la cosa... il nome è il concetto di ogni cosa posta fuori... e senza nome non si ha il concetto e la cosa resta non distinta e non definita... il nome è epigrafe funeraria... conviene ai morti. A chi ha concluso. Io sono e non concludo. La vita non conclude. E non sa di nomi la vita» (vol. III, pp. 1415-1416).

Le ultime disastrose parole di Moscarda, che finalmente scopre di essere solo e scopre l'infinità e l'eter-

---

(25) Il tema della solitudine ha trovato vitalità nelle novelle *Canta l'epistola* e *Ritorno* e nelle poesie di *Fuori di Chiave*.
(26) Cfr. Federico Italia, op. cit., pp. 39-40.

nità dell'Essere per la prima volta. La solitudine, però è accettata da Moscarda sebbene «spaventosa» e «sconfinata» nella irremediabilità del proprio tormento spirituale. Moscarda vuole essere solo in modo insolito, senza sé stesso e «senza estraneo attorno» (vol. III, p. 1293), persona o luogo che sia. Ma ciò è possibile perché «la solitudine è un luogo che vive per sé» e «l'estraneo» (27) (vol. III, p. 1293) è parte integrale dell'individuo stesso, come lo stesso Moscarda lo chiama: «l'estraneo inseparabile da me» (vol. III, p. 1293). Il senso di estraneità a cui Moscarda si sente destinato gli apre l'abisso «strano e angoscioso» di una solitudine inseparabile nella sua unità personale. Di giorno in giorno Moscarda scoprirà nella propria avventura che tutto era stato cambiato e oscurato: dall'aspetto fisico e psicologico di sé stesso a quello degli oggetti fisici attorno e degli esseri umani. Non gli resta perciò che vivere affrontando e sopportando questo spasimo senza fine in cui egli finalmente, scoprendosi nuovo e diverso, resterà solo. «Ero solo. In tutto il mondo solo. Per me stesso solo. E nell'attimo del brivido, che ora mi faceva fremere alla radice i capelli sentivo l'eternità ed il gelo di questa infinita solitudine» (28) (vol. III, p. 1384).

«Si commisuri il valore rivoluzionario di questo fatto, si consideri la sua coincidenza con l'angoscioso stato di alienazione della condizione umana, uscita dalla prima guerra mondiale e giunta alla esasperazione dopo la seconda guerra mondiale e si avrà un'idea della universalità — soprattutto oggi — della lezione pirandelliana, solo paragonabile nell'ambito psicologi-

---

(27) Ibi., op. cit., p. 43. «Ricordiamo che per Pirandello, essere soli per sé stessi, significa essere «estranei» a sé stessi. Cfr. anche il dramma *Trovarsi*, dove Donata Cenzi esclama: «Trovarsi... ma sí, ecco: non ci si ritrova alla fine che soli» (*Maschere Nude*, II, p. 964).

(28) Cfr. Federico Italia, op. cit., pp. 42-44 passim.

co a quello di Freud e nell'ambito filosofico-scientifico a quello di Einstein» (29).

B. RELATIVITÀ E VERITÀ

Dal concetto di dissoluzione e molteplicità della personalità nasce il relativismo pirandelliano, soprattutto quando il problema della verità, che viene considerata in relazione incessante col soggetto che pensa. Bisogna notare qui che il soggetto non solo pensa ma soprattutto sente, e che affetti e desideri hanno la parte maggiore nella concezione della realtà. Ciò è valido sia per Vitangelo Moscarda come per gli altri personaggi del romanzo. Poiché il soggetto è continuo divenire anche la verità segue la stessa sorte, la mutabilità dell'uno comporta la relatività dell'altra.

La verità si identifica secondo queste premesse piú con ogni forma di sentimento che di conoscenza certa (30) e Pirandello è costretto a introdurre per necessità logica di contenuto «la bugia.» «La bugia,» grande e piccola che sia gli permette di vivere con sé stesso e col resto della società (31). Ogni cosa in questa situazione è solo conosciuta relativamente allo stato della volontà e dei sentimenti e perciò esiste l'impossibilità razionale di avere una conoscenza di per sé valida e oggettiva.

---

(29) Carlo Terron, «Luigi Pirandello, come prima meglio di prima» in *Lo Smeraldo, Rivista letteraria di cultura*. Milano, anno XVI, no. s, 30 marzo 1962.

(30) Tale atteggiamento appare in modo particolare nelle novelle: *Maestro amore; Colloquio coi personaggi; Dal naso al cielo; La mano del malato povero. Un'idea*; e nei drammi *Trovarsi; Questa sera si recita a soggetto; Diana e la Tuda; Come tu mi vuoi; All'uscita*.

(31) Cfr. *Liolà*, la scena curiosa della commedia è ambientata come la novella omonima nella Sicilia campestre. Tutte e due le opere presentano le caratteristiche di una visione relativa della vita. Nel 1917 tre drammi trattano del problema della relatività *Berretto a sonagli; Cosí è (se vi pare); Il piacere dell'onestà*. In anni piú

1. Conoscenza (32)

Il conoscere (33) è in sé vario e mutabile, differente per Vitangelo e gli altri, allo stesso modo che la sua coscienza vuole dire «gli altri in noi.» Vitangelo insiste su questa affermazione: «Non mi conoscevo affatto non avevo per me alcuna realtà mia propria, ero in in uno stato come di fusione continua quasi fluido, malleabile; mi conoscevano gli altri, ciascuno a suo modo, secondo la realtà che mi avevano data» (vol. III, p. 1318). Ma per quanto si sforzi non trova una realtà propria perché ci sarà sempre «un modo mio» per lui e «un modo mio» per gli altri. «Ci fosse fuori di noi, per voi, per me, ci fosse una signora realtà mia, una signora realtà vostra dico per sé stesse, e uguali, e immutabili, non c'è per me e in me una realtà mia: quella che io mi dò; una realtà vostra in voi e per voi: quella che voi vi date; le quali non saranno mai le stesse nè per voi nè per me» (vol. III, p. 1309).

---

addietro il tema viene trattato nei drammi: *La patente*; *Il giuoco delle parti*; *L'uomo la bestia e la virtú* e *Sei personaggi in cerca d'autore*.

(32) Conoscere è sentire. L'oggetto si conosce quando è penetrato nel nostro sentimento e non nella ragione. Si vedano perciò le novelle: *Maestro amore*; *Colloquio coi personaggi*; *La mano del malato povero*; *Dal naso al cielo*; *Un'idea* e nei drammi *Questa sera si recita a soggetto*; *Diana e la Tuda*; *Come tu mi vuoi*; *All'uscita*.

(33) Federico Italia, op. cit., pp. 29-31. Nella parte seconda: «conseguenze dell'incomunicabilità,» primo paragrafo «impossibilità di comprendere gli altri» preferisce il termine «comprendere» al termine «conoscere.» «Abbiamo preferito il termine comprendere al termine conoscere perché ha un significato piú profondo. Conoscere indica soltanto ammettere l'esistenza di una cosa, fermarsi all'esterno, comprendere include l'atto dell'abbracciare nella sua interezza la cosa che si comprende non solo, ma anche percepirne il principio interno che la fa una pur nelle sue molteplici manifestazioni. In altre parole, comprendere sé stessi significa riconoscersi per quel che si è, come comprendere un altro significa coglierlo nella sua realtà dinamica il che implica coglierne il suo principio e la sua vocazione fondamentale, riconoscerlo nella sua personalità unica, nel suo intimo essere.» Cfr. Francesco Sciascia, *L'uomo questo «squilibrato.»* Milano, 1959, pp. 77-85.

Il filosofare di Vitangelo racchiude «un senso» ed «un valore» proprio, per cui il nostro eroe non è inteso, anzi finisce per farsi ignorare a si lascia avvolgere in un «sentimento» di vita fuori del tempo. Egli non si riconosce nella forma datagli, come gli altri non si riconoscono nella loro. Nella «costanza dei sentimenti» di vivere al di là di un continuo fluire e di una dimensione che sia al di fuori di ogni costruzione spaziale e temporale Moscarda scopre a nudo le ipocrisie della società.

Tutto ciò che si può immaginare è realmente possibile, ancorché non vero, perché la verità esiste solo nella dimensione del singolo, come nessuno piú di Vitangelo ha potuto farne esperienza. Per questo egli studia e cerca continuamente i suoi sentimenti e le proprie espressioni e stati d'animo, come appare in modo particolare nel capitolo «Inseguimento all'estraneo» del libro primo (34). Egli li vive, li tocca e spesso li dissimula con una freddezza inconcepibile agli altri.

Anche i suoi rapporti d'amore con la moglie Dida son sfuggono dalle spire della relatività e Vitangelo finirà per conoscerla in modo differente, in un modo in cui ella assume delle caratteristiche umane completamente differenti da quelle che sino allora Moscarda aveva conosciuto. L'abbracciarla e toccarla affettuosamente lo conducono a scoprire in lei un nuovo «estra-

----

(34) Meraviglia. (E sbalzavo le sopracciglia per un nonnulla fino alla attaccatura dei capelli e spalancavo gli occhi e la bocca, allungando il volto come se un filo interno me lo tocasse); Cordoglio. (E aggrottavo la fronte, immaginando la morte di mia moglie, e socchiudevo cupamente le palpebre quasi a provar cordoglio); Rabbia. (E digrignavo i denti, pensavo che qualcuno mi avesse schiaffeggiato, e arricciavo il naso, stirando la mandibola e fulminando con lo sguardo) (vol. III, p. 1295).
Arricciare il naso, arrovesciare gli occhi all'indietro, contrarre le labbra in su e provarsi ad aggrottar le ciglia, come piangere; restare un attimo sospesi cosí e poi crollar due volte a scatto per lo scoppio di una coppia di starnuti (vol. III, p. 1300).

neo.» Moscarda infatti afferma: «senza che vi possa dire come sia, perché per lei è quella che è e non può figurarsi che possa essere un'altra.» Egli era convinto di conoscerla bene, come d'altronde ella era anche convinta di conoscere «quel suo caro Gengè.»

Il rapporto di conoscenza che esiste tra Dida e Moscarda ricorda sotto certi aspetti quello che esiste tra Stefano e Lucietta nella novella *Stefano Giogli, uno e due* (1909). Il tema della novella è tutto racchiuso nello sdoppiamento della personalità in cui incorre Stefano. Come egli è in realtà e come se lo rappresenta la mogliettina secondo i propri desideri. Il brano del romanzo che si trova nel capitolo XII del libro secondo: «Quel caro Gengè» riecheggia parte della novella ed è interessante farne un confronto:

UNO, NESSUNO E CENTOMILA	STEFANO GIOGLI, UNO E DUE
Non certo a modo mio, perché io ripeto, non riuscivo davvero a riconoscere i miei pensieri e i gusti che ella attribuiva *al suo Gengè*. Si vede dunque chiaramente che gliela attribuiva perché secondo lei, Gengè aveva quei *gusti e pensava e sentiva cosí a suo modo, c'è poco da dire propriamente suo*, secondo la sua realtà che non era affatto mia (vol. III, p. 1319).	Lasciata nella piú ampia libertà di disporre, (Lucietta), a suo capriccio di questi elementi, ella ne aveva cavato fuori un marito come le piaceva, si era quello Stefano Giogli che piú le conveniva; gli aveva dato a suo talento *gusti e pensieri e desideri e abitudini. C'era poco da dire! Era quello il suo Stefano Giogli*. Se l'era fabbricato lei con le sue mani, e guai a toccarglielo (vol. II, p. 1170).
Tanto lo amava! Ed io, ora che tutto alla fine mi s'era chiarito, *cominciai a divenire terribilmente geloso,*	*Diventò ferocemente geloso di sé stesso.... E pensare che questo sciocco era amato* da *sua moglie*, a questo scioc-

non di me stesso, ma signori di uno che non ero io, *di un imbecille,* che s'era cacciato tra me e mia moglie.... *appropriandosi del mio corpo per farsi amar da lei.* Considerate bene. Non *baciava* forse mia moglie, *sulle mie labbra, uno che non ero io?* Sulle mie labbra? No che mie! Considerate bene, non vi *sentirete traditi dalla vostra moglie* con la piú raffinata delle perfidie, se poteste conoscere che ella, *stringendovi tra le braccia assapora e si gode per mezzo vostro e del vostro corpo l'amplesso* di un altro che *lei ha in mente e nel cuore* (vol. III, p. 1321).

Dida, da ragazza si pettinava ad un certo modo che piace non soltanto a lei, ma anche a me moltissimo. *Appena sposata, cangiò pettinatura* per lasciarla fare a suo modo io non le dissi *che questa nuova pettinatura non mi piaceva affatto.* Quando una mattina... Gengè — *mi gridò* — .... io restai ammirato, quasi abbagliato. «Oh» — Esclamai — Finalmente — *Ma subito ella si cacciò le mani nei*

co ella faceva tante carezze, a questo sciocco *dava i suoi baci....* quando Lucietta *lo abbracciava, non abbracciava lui* ma quell'odiosa metafora di lui ch'ella s'era creata. *Era vera e propria gelosia,* piú che rabbia o dispetto. Si perché egli *sentiva* ch'era proprio *un tradimento quello che sua moglie commetteva, abbracciando un altro in lui.* Sentiva mancarsi a sé stesso sentiva che quello aspetto di sé, che *sua moglie amava, si prendeva il suo corpo per goder lui* — *lui solo del-*l'amore di lei (vol. II, pp. 1170-1171).

Da tanto tempo egli voleva che la sua Lucietta *si pettinasse come prima,* con quei fiorconi di seta nera, che le aveva veduto in capo la prima volta quella sera in casa Latini. *Dal giorno delle nozze aveva adottato questa nuova pettinatura,* che le dava un altro aspetto *e che a lui non era mai piaciuta* ...«*Ma sí! Ma sí! Subito!* — *le gridò* — Subito Lucietta mia, pettinati come prima.» *Alzò le mani per disfar-*

UNO, NESSUNO E CENTOMILA	STEFANO GIOGLI, UNO E DUE
capelli ne trasse le fornicelle *e disfece* in un attimo la *pettinatura.* «Va là» — mi disse — «Ho voluto fare uno scherzo, so bene signorino che non ti piaccio pettinata cosí.» *Protestai di scatto:* «*Ma* chi te l'ha detto, Dida mia? *Io ti giuro,* anzi che...» *Mi tappò la bocca.* «*Va là*» *ripeté* «*tu* me lo dici per farmi piacere, *caro mio,* ma io non debbo piacere a me. *Vuoi che non sappia come piaccio meglio al mio Gengè?*» E scappò via. (vol. III, pp. 1320-1321).	*le* lui stesso quell'antipatica *acconciatura.* Ma Lucietta gliele ghermí in aria; lo tenne lontano schernendosi e gridando a sua volta: «No, carino, caro, per tua norma troppo presto l'hai detto! No! No! Per tua norma, piú *a me stessa io voglio piacere al mio maritino:* «Ma io *ti giuro!... proruppe Stefa-no.* Subito ella *gli turò la bocca* con una mano. «*Va là*» *gli disse* «vuoi darti a conoscere a me? *Io so i tuoi gusti bello mio...* Lasciami star cosí *come piace al mio Stefano,* caro, caro (vol. II, p. 1173).

È stato necessario durante il confronto spezzettare i testi citati perché esiste un'inversione degli avvenimenti quando si passa dalla novella al romanzo. I testi qui presentati hanno sotto molti aspetti una convergenza di idee e di contenuto. Ciò conferma come Pirandello si sia rifatto nel romanzo a testi già precedentemente usati in altre opere specialmente le novelle. La similarità dei testi precedenti fa supporre che Pirandello avesse avuto già dagli inizi del 1900 intenzione di comporre il romanzo *Uno, Nessuno e Centomila* e nella novella *Stefano Giogli, uno e due* (35) che è del

---

(35) Jorn Moestrup, *The structural pattern of Pirandello's work.* Odense, 1972, pp. 106-107. «This story is of historical importance in being the first work in which relativism is the major theme... Pirandello did not include this story in the edition of his collected

1909 si vede attuato parte del dramma di Vitangelo Moscarda, protagonista del romanzo in considerazione.

Sarebbe indubbiamente interessante estendere questo studio di confronto ad altri aspetti ed a altri testi ma ciò richiederebbe una piú giusta comprensione di pensieri e motivi manifestati nelle altre opere pirandelliane. Come già nel caso della novella *Quando ero matto* anche per questa novella *Stefano Giogli, uno e due* possiamo dire che segnano una linea costante nello sviluppo del pensiero pirandelliano in relazione ad *Uno, Nessuno e Centomila* (36).

È chiaro che nei testi precedenti il rapporto gelosia — amore è figura di un rapporto piú ampio, a sua volta presente in tutta l'opera pirandelliana, l'illusione che sostituisce fatalmente la realtà. Il centro del dramma della vita per Pirandello si aggira quindi attorno alle leggi: a) dell'essere che si trasforma in sembrare e viceversa; b) del pensiero che si trasforma in realtà. Queste due leggi a loro volta si riducono ad una sola: a) la realtà esiste soltanto per chi la pensa.

Tutto questo sicuramente succede per un processo d'analisi, mentre la novella *Stefano Giogli, uno e due* è un primo schizzo, il romanzo *Uno, Nessuno e Centomila* sviluppa temi drammatici e metafisici. «Si tratta della scoperta che un marito fa — e questo nel racconto è tutto, mentre nel romanzo è punto di partenza — che sua moglie ha di lui una immagine del tutto falsa e arbitraria. (E ciò che vale per la moglie vale, si comprende subito, anche per ogni altra persona che lo conosca). Eppure l'immagine è altrettanto reale di ogni altra: e in sé completa, coerente, en anche, in certa

---

short stories, and its first appearance was in a posthumously published volume in 1937. This may have been because of its modest artistic value, or the reason may have been that it too obviously foreshadows the novel *Uno, Nessuno e Centomila*. Cfr. Arminio Janner, op. cit., p. 229.

(36) Federico Italia, op. cit., p. 30.

misura, indipendente dai desideri coscienti di chi se l'è costruita. Nel racconto del 1909, una volta constatato lo strano fenomeno, non c'è seguito; nel romanzo, tale prima constatazione, per sucessive osservazioni e deduzioni, diventa tutta una teoria dell'essere e della vita nel loro eterno divenire. L'esperienza che Vitangelo Moscarda fa con la moglie, è costretto a farla anche con ogni altro suo conoscente; e infine sebbene in modo piú arduo e diverso, anche con sé stesso» (37).

Nella novella *Realtà di un sogno* (38) (1914), la scena finale tra moglie e marito è visione chiara del relativismo pirandelliano nella scoperta dell'essere che si trasforma in reale dal sembrare dell'individuo passando dall'ordine logico a quello ontologico. L'inconsistenza del sogno diventa passione e il corpo della donna assume il godimento di fatti come se fossero veramente accaduti. In queste condizioni l'uomo si avvicina sempre piú al vero universale «a posteriori» perché presuppone il bene individuale che è «a priori». Invertite le parti nella scoperta del vero Moscarda comprende per sempre la nudità e le inconsistenza della propia vita. La denudazione di Vitangelo rispetto alla realtà si aggrava durante i suoi lunghi colloqui con Anna-Rosa. Ella a sua volta lo espone, volendo dimostrarne la pazzia, alla consapevolezza di sentimenti reconditi e lontani.

2. *Sentimenti*

Nel segreto piú profondo della sua anima Moscarda nasconde i suoi sentimenti e non li rivela agli altri per-

---

(37) Arminio Janner, op. cit., pp. 260-261.
(38) La novella presenta come il tradimento amoroso della donna diventa realtà per la donna stessa sebbene sia un puro desiderio. Il fatto che la donna sia malata di nervi, impedisce che ella trasformi in «reale» un «fatto» che per gli altri non esiste se non nella fantasia.

6

ché ha paura di essere incompreso. Allo stesso tempo la presenza di questi sentimenti in Moscarda è necessaria per dare consistenza alla costruzione di sé stesso. Il protagonista del romanzo è appunto qualcuno quando pone di fronte alla propia persona qualsiasi tipo di sentimento, che lo impossessi dandogli cosí concretezza (39). Tra questi sentimenti due risaltano in modo particolare: a) il sentimento della Carità; b) il sentimento di Dio.

La carità è il sentimento piú grande e piú alto degli uomini e come tale è sorgente di rispetto per il mistero della vita che nasconde in sé stessa e per il fine di affratellamento degli uomini con altri uomini e con le cose. Soltanto chi crede come Moscarda può sentire e vivere veramente la vita e rinunziare a morire. Solo la carità può dare un contrappeso alla superbia e all'egoismo umano, come d'altronde Moscarda riesce ad intuire profondamente nel suo cuore.

Nella carità tutto si incontra e si identifica e cade ogni ostacolo che divide l'uomo dall'uomo e l'uomo dalle cose. L'immersione nella realtà totale dell'Essere è il traguardo finale di Moscarda e finché non raggiunge questa dimensione squisitamente esistenziale egli sarà per sempre perduto nel mare infinito di tante forme relative a cui gli altri lo condannano. Dal sentimento individuale della carità Moscarda approda perciò necessariamente ad una visione nuova dell'universo. Con essa inoltre egli risolve da una parte il

(39) Arminio Janner, op. cit., p. 230. «Siamo cioè qualcuno di concreto, con dati senimenti e intermezzi, solo quando ci mettiamo, sia nel pensiero, sia nella realtà, di fronte a una certa persona o a una data situazione; se non siamo in tale posizione o situazione, per noi stessi non siamo nessuno. Siamo qualcuno cioè, solo quando un sentimento d'amore e d'odio, di simpatia o d'indifferenza, d'interesse o di diffidenza, s'impossessa di noi e ci dà concretezza reale della persona. Senza di tali sentimenti noi non siamo nulla, un corpo senza anima.»

problema della realtà e dall'altra il problema dell'eticità umana.

3. Sentimento di Dio

Il secondo sentimento vivo nel «cuore» di Moscarda è il sentimento di Dio. A Dio Moscarda si avvicina allo stesso modo di Fausto Bandini della novella *Quando ero matto* (1902) e come lui sente il bisogno di tenersi entro di sé la consapevolezza della «verità» e di una «esistenza che ci sorpassa»: Dio. Il sentimento di Dio si manifesta in Moscarda per la prima volta durante una discussione con la moglie Dida, quando sente «come una ferita al cuore.» Dio è inteso come sentimento e risiede nel suo cuore umano come una scintilla pronta a farsi viva in circostanze particolari. Quando queste circostanze si verificano, allora Dio si manifesta a lui, senza dubbio, in forma di coscienza, perché si era «sentito ferire» da certe affermazioni della nobile città di Richieri nei riguardi di Moscarda.

Il problema di Dio è presentato da Pirandello nei colloqui di Moscarda con la cagnetta Bibí e nei capitoli «Dio di dentro e Dio di fuori» e «Un colloquio con Monsignore» del libro settimo del romanzo *Uno, Nessuno e Centomila* (40). Queste pagine del romanzo sono allo stesso tempo una introduzione ed una conclusione alla teodicea pirandelliana cosí diversa da quelle tradizionali. Il travaglio aspro e terribile che il problema di Dio causa in Pirandello è come sintetizzato nelle espressioni esistenziali di Moscarda in una fede che si ribella ad ogni formula statica per approdare nella

---

(40) Pirandello segue largamente una concezione chc risalc all'antichità di dare facoltà umane agli animali. Egli usa questa concezione in molte novelle: *Pallino e Mimí* (1905); *Cinci* (1932); *La rallegrata* (1913). Nella novella *La prova* (1935) gli animali (due orsi) diventano messaggeri della divinità.

fluidità immanentistica di una visione naturalistica della fede (41).

Nella novella *Il vecchio Dio* (42), Pirandello ritorna al problema di Dio e presenta ai lettori «il padre eterno» in colloquio col signor Aurelio, il quale addormentato rivive in sogno i punti piú importanti del mistero della creazione e della redenzione. Dio, in questa visione rapida ed efficace spiega il mistero della salvezza e presenta gli insegnamenti della chiesa lamentandosi della scienza, che combatte e contraddice il «sentimento di Dio» tra gli uomini (43). Le teorie scientifiche riguardo l'esistenza di Dio e i suoi rapporti con la umanità e l'universo sono analizzate da Pirandello nella novella *Pallottoline* (44) (1923) (45) con un senso di

---

(41) Il problema di Dio viene toccato anche nelle novelle: *Sogno di Natale*; *Prudenza*; *La fede*; *Dono della Vergine Maria*; *Il Vecchio Dio*; *Quando ero matto*; *La prova* e nei due drammi: *Lazzaro* e *La nuova colonia*.

(42) La novella presenta come il signor Aurelio decide di visitare varie chiese di Roma durante le vacanze estive. Trovandosi in una di esse si addormenta e sogna Dio che gli viene incontro per avere una conversazione tra vecchietti. Finché il signor Aurelio viene scosso dalla realtà del sogno dal sagrestano che vuol chiudere la chiesa.

(43) Federico Italia, op. cit., p. 59. «Nel romanzo *Uno, Nessuno e Centomila* e nell'atto unico *All'uscita* Pirandello parla del Dio di dentro e del Dio di fuori: Il Dio esterno concepito come distinto dall'uomo trascendente, è una illusione nostra, originata dal bisogno intimo di estrinsecare, di obbiettivare i sentimenti interni dell'animo. In realtà non esiste un Dio trascendentale, ma un Dio immanente in noi, ci confondiamo con lui, siamo una sua momentanea manifestazione. La religione vera è la coscienza della nostra immedesimazione con Dio.» Cfr. anche il libro di Guido Mattei, *La religiosità di Luigi Pirandello*, Milano, 1950, dove vengono analizzati da un punto di vista religioso: i problemi dell'io, del mondo e di Dio.

(44) La novella presenta come nella famiglia dello scienziato Maraventano si vive secondo lo spirito dell'immensità misteriosa dell'universo. La moglie e le figlie lontano dal mondo civile sentono nell'angustia della vita quotidiana e casalinga il contrasto della conoscenza scientifica ed astronomica del marito.

(45) Lo Vecchio Musti sostiene che esiste una data di pubblicazione precedente per la novella, ma non la indica nella sua opera.

rammarico per la mancanza di valori spirituali nella società contemporanea (46).

La spiritualità che deriva da queste premesse è non solo un limitato modo umano di conoscere la divinità ma anche, da parte di Moscarda, l'accettazione mistica dell'Assoluto. Un Assoluto che esce fuori da ogni limite convenzionale e rischiara attraverso il barlume della sua luce il mistero profondo dell'umiltà e della carità. Dio essendo vivo nell'anima può essere solo raggiunto attraverso la fede dell'uomo e non attraverso qualsiasi costruzione dogmatica o formalismo settario di religione organizzata. Moscarda comprende certamente il mistero di Dio e lo vive senza rivelarlo agli altri per paura di vedere distrutto in una imposizione formale «il piú rispettabile dei suoi sentimenti.»

C'è un parallelismo tra il sentimento di Dio che Moscarda esperienza nel suo cuore e il «seme divino» della novella *Zuccarello distinto melodista* (47) (1914). Sia nel romanzo come nella novella la partecipazione umana alla divinità è sentita nella comunione spirituale e nella forza unificatrice che l'uomo riesce a scoprire dentro di sé. Se l'uomo non scopre nella sua anima, quel «puntino infinitesimale» della divinità la sua esistenza diventa senza significato e senza senso.

Gli uomini spesso non riescono a scoprire il sentimento di Dio e se lo scoprono lo impongono agli altri

---

(46) Assieme alla novella *Pallottoline* altre due novelle presentano questo problema: *Berecche e la guerra* (vol. II, p. 749) «il loro sentimento, il loro piccolo Dio nato nelle animuccie loro e ch'essi credono creatore di quei cieli, di tutte quelle stelle.» E in *Colloquio coi personaggi* (vol. II, p. 1202) dove raggiunge l'unica conclusione che può raggiungere: «una cosa sola resta, la vita resta, con gli stessi bisogni, con le stesse passioni, per gli stessi istinti, uguale sempre, come se non fosse mai nulla.»

(47) La novella racconta il successo del violinista Perazzetti, ottenuto per mezzo di un avventore. Il tema profondo di essa sta però nell'introduzione e conclusione filosofica di essa e nell'umiltà di Zuccarello e di sua moglie, contenta di vivere sempre nell'ombra.

secondo la propria visione, spesso meschina e limitata. Essendo il concetto di Dio portato al livello del sentimento umano è necessariamente condannato il sistema universale di edificare templi alla divinità. Le costruzioni di chiese sono per ricordare agli uomini un sentimento, sí individuale, ma universale per il suo valore metafisico ed umano. Pirandello sotto le vesti di Moscarda si sente, necessariamente liberato da una forma antropomorfa (48) di Dio e della religione perché ha raggiunto le altezze indescrivibili della comunione panica e mistica con la natura. «Vivo non piú in me, ma in ogni cosa fuori» (49) (vol. III, p. 1416).

4. *Famiglia e Chiesa*

La posizione della famiglia e della chiesa nel romanzo è una di fallimento. Nelle relazioni con la moglie Dida Moscarda è incapace di stabilire un rapporto concreto e la famiglia viene frantumata poco a poco. Infatti Dida non sa impazzire con Moscarda e quando il protagonista chiede aiuto al vescovo per sistemare in verità e in realtà la propria posizione con la moglie capisce finalmente che anche la Chiesa non è capace di fermare la frana che sembra distruggere tutto il suo mondo, e lo spinge inesorabilmente a crearne un altro.

---

(48) È il caso della novella *Berecche e la guerra* (1914 col titolo *Un'altra vita*) dove Dio viene rappresentato in termini umani nelle sue azioni e nella sua volontà.

(49) Cfr. Giuseppe Gancia Battaglia, op. cit.; l'interpretazione del Battaglia è che Dio, per Pirandello, è tutto ciò che chiamiamo Natura, Umanità, e la scienza non è che un barlume della luce di Dio. È solamente possibile consistere in Dio; solamente nell'Infinito e nell'Eterno sarà possibile per il personaggio pirandelliano trovare sé stesso. Cfr. anche Virgilio Martini, «Pirandello a casa», *Fiera Letteraria*, 7-1-1932. Dove viene riportata la seguente risposta di Pirandello alla domanda se credesse in Dio. «Ci credo, non un Dio trascendentale, dei cieli, della oltretomba, ma nel Dio che è in noi, nel Dio della vita, insomma nello spirito, non materia.»

«L'eccellentissimo Mosignor Partanna non sa fare altro che raccomandarlo a un prelato che troverà la strada per spogliarlo delle sue sostanze, riservando per lui «il berretto, gli zoccoli, il camiciotto turchino» dell'ospizio dei poveri. Ma non ha capito appieno il suo compito Vitangelo; non ha capito la sua effettiva funzione di uomo storico. Sembra ancora legato al sassolino che ha fermato la sua attenzione e gli impedisce di muovere il passo speditamente! Il suo orgoglio ferito pretenderebbe da Dida una capacità di dedicazione di cui Dida non è capace! e da Monsignor Partanna, nientemeno! La soluzione di un conflitto di coscienza che ha messo a dura prova quel suo Dio interiore, di fronte alla risata di Dida, e Dida nella condizione di por mano risolutamente ai suoi bagagli per riprendere la via di casa sua. Lo stesso Vitangelo risulta sprovvisto di quella sottile forza intuitiva delle condizioni concrete di vita che avrebbe dovuto mirare a rinnovare la realtà senza distruggere le posizioni realizzate» (50).

La chiesa è come la famiglia e si puntella su un terreno che ha nulla di sodo. Se la famiglia è frantumata per impossibilità di rapporto la chiesa invece frana perché, secondo Pirandello, pratica l'ipocrisia piú inaudita e in questi temi il romanzo segue le linee già accennate in altre novelle: *I fortunati* e *Alla zappa*. Come ha chiaramente osservato il Puglisi «nella chiesa ci si fa scrupolo di don Filomarino che ha promesso alle monache una pianticina di fragole e intanto sui debitori, su quei «fortunati» di cui le cambiali sono andate a finire nelle mani degli ecclesiastici, si grava — come fa Mosignor Landolina — l'interesse del ventiquattro per cento. La Chiesa, almeno come la vide lui ai suoi tempi, è il luogo del ripiego, del doppio giuoco,

---

(50) Giovanna Abete, op. cit., p. 174.

dell'accomodamento; ivi passa sopra a tutto quanto c'è di convenienza, anche agli scandali, ai fatti piú turpi, come si fa con Don Siroli» (51).

Si può affermare che sia la famiglia come la chiesa vengano distrutte. Ciò non vuol dire che Pirandello non senta i vincoli e gli affetti dell'amore familiare o le gioie e le bellezze della religione. Negli scritti del nostro autore si trovano, senza dubbio, molte pagine in onore della sacralità degli affetti familiari e una forma di religione, teistica sotto tutti gli aspetti, e *Uno, Nessuno e Centomila* attraverso Moscarda ne presenta i canoni piú importanti. La vicenda di Moscarda indica sicuramente che Pirandello vuol indicare ai suoi lettori il suo tragico sforzo di credere, però invariabilmente senza risultato.

«La nostalgia di Pirandello per la fede si accentua negli ultimi anni della sua vita, e quelli che gli furono vicini notarono che era pieno d'amore e di ammirazione per Cristo, anche se non era confessione di divinità. Una cosa detestava Pirandello: l'insincerità e l'incoerenza nella vita: quel confessare principi che interiormente non si vivono. Simile frattura del proprio essere attirava lo sdegno di Pirandello ed egli, attraverso l'umorismo, ne esponeva allo sguardo di tutti le piaghe piú intime. Nello sforzare questa ipocrisia Pirandello non perdona nessuno e spesso molte persone di chiesa (come Padre Landolina del dramma *Pensaci Giacomino...*), nelle quali lo scrittore siciliano vedeva piú facile il pericolo del fariseismo, sono bersaglio della sua ironia, sebbene in questi casi non manchi la sua naturale compassione per ogni difetto umano» (52).

_____
(51) Filippo Puglisi, *L'arte di Luigi Pirandello.* Firenze, 1958. p. 55.
(52) Federico Italia, op. cit., p. 99.

C. CREAZIONE E CONSISTENZA

La dottrina originalissima di Pirandello com'è presentata in *Uno, Nessuno e Centomila* ha la sua base nella concezione della personalità relativa e contingente. Parlando della molteplicità della persona già si è accennato al problema della «costruzione» dell'individuo. A contatto con i diversi «Moscarda» scoperti in sé stesso, Moscarda si costruisce, allo stesso modo in cui l'uomo costruisce le case pietra su pietra.

Quella che doveva essere la semplicità naturale della propria esistenza raggiunge i limiti di uno sfacelo e dissolvimento totale ed egli deve essere continuamente oggetto di costruzione. Come ogni altro oggetto materiale egli si costruisce a poco a poco. Allo stesso modo con cui si costruiscono le case o le città pietra su pietra (53), Moscarda mette assieme atteggiamenti, emozioni e sentimenti «e la costruzione dura finché duri il cemento della volontà.»

La continua successione della creatività umana ha però fondamento in un semplice «fatto»: «il nascere.... nascere in un tempo anziché in un altro.... e da questo e da quel padre, e in questa e in quella condizione; nascere maschio o femmina; in Lapponia (54) o in Africa, o bello o brutto, con la gobba e senza gobba (55): Fatti (56)» (vol. III, p. 1332).

---

(53) Ogni forma di costruzione è a sua volta forma di vita. Ciò appare in modo molto piú chiaro nella novella *Romolo* (1917).

(54) Il termine Lapponia nel medesimo contesto appare pure nella novella *Rimedio alla geografia* (1921).

(55) Cfr. la novella *Candelora* (1917).

(56) «Non una parola sul paesaggio cui io e tu abbiamo avuto la sciagura di nascere» (vol. II, p. 342). L'affermazione proviene dalla novella *L'altra allodola*.

1. *Atto esistenziale*

Il «fatto» dell'esistenza a sua volta diventa «trappola» che imprigiona la vita dell'uomo in un determinato tempo e in un determinato spazio. I sentimenti di Moscarda riguardo la propria esistenza forzata sono condivisi nella novella *Candelora*. «Ogni cosa porta con sé la pena della sua forma. Sa bene lui che ogni gobbo bisogna che si rassegni a portare la sua gobba. E come le forme sono i fatti. Quando un fatto è un fatto non si cangia piú, è quello. Candelora, per quanto faccia, non potrà piú per esempio, ritornare pura come quando era povera. Sebbene pura, forse non è stata mai, Candelora, neppure bambina. Non avrebbe potuto fare ciò che ha fatto; e goderne dopo (57)» (vol. II, p. 602).

Questa prigione della vita determina per l'uomo «la realtà sicura dell'esistenza» (vol. III, p. 1317), in cui Moscarda agisce per date «forme» e dati «fatti.» Le condizioni della nascita e della famiglia sono allo stesso tempo la causa della consistenza di Moscarda e della sua indagine psicologica, in cui l'io molteplice giunge alla fine ad una forma transitoria di unità. Tale forma è raggiungibile perché allo stesso modo del nome e del corpo non è scelta dall'individuo ma è accettata supinamente. La condizione del corpo produce la considerazione che il corpo e l'immagine sono un «fatto,» un accidente storico di cui gli altri hanno decisione assoluta. La supina accettazione di esso diventa per Moscarda una convinzione assoluta che non ammette discussioni di sorta. A questa sconfitta fisico-

---

(57) *Candelora* è la novella che racconta l'avventura di Loretta, moglie di Nane Papa, costretta per motivi meschini a far l'amante ai ricchi prottettori del marito artista. Al centro della novella sta il tema profondo dell'imprigionamento di Loretta in una determinata forma a cui ella si ribella con la propria uccisione.

biologica di Moscarda corrisponde la vittoria decisiva e finale degli altri (58).

Il processo di costruzione continua sino all'infinito finché l'individuo rimane agganciato e sospeso per sempre nella impressione di essere solo ad affrontare il corpo fluente e mutevole dell'esistenza (59). Il padre stesso di Moscarda non manca alla chiamata universale per una scoperta «orrenda» di Vitangelo. Il padre è visto fuori, nella sua vita ma non com'era per sé «e come in sé si sentiva, ch'io non potevo sapere, ma come un estraneo a me del tutto, nella realtà, tal quale egli ora mi appariva, potevo suporre gli dessero gli altri» (vol. III, p. 1327).

Nell'attualità del tempo presente Moscarda vive la reminiscenza del passato (60) e prova un senso eterno di «sofferenza» e di «estraneità» nel rapporto col padre (61). Il rapporto di paternità poteva e doveva essere tanto «gustato» e «sognato» da Moscarda ma per ragioni di cose desta in lui un vergognoso senso di distacco. La sua reazione alla nascita ha delle caratteristiche spesso odiose e piene di sdegno soprattutto quando pensa di essere nato per lo «sfogo di un momentaneo bisogno e piacere» del padre. Moscarda si sente per mezzo di quel seme «gettato» un fatto unico e diventato realtà si vede nel seno della madre durante il periodo della gestazione «con due occhi fluorescenti di lumaca, che guardano a tentoni e gli impediscono d'essere ancora in tutto e piacer suo, libero» (62) (vol. III, p. 1328). Compiuto l'atto della creazione tutto si manifesta senza possibilità di cambio, come in una

---

(58) Federico Italia, op. cit., pp. 40-41.
(59) Cfr. la novella I nostri ricordi (1917).
(60) Cfr. Umberto Cantoro, L'altro me stesso. Verona, 1939, p. 40.
(61) Tale rapporto di estraneità tra padre e figlio si verifica anche se in termini invertiti nella novella La Carriola.
(62) Cfr. Informazioni sul mio soggiorno involontario sulla terra (Saggi, pp. 1064-1065).

trappola. Se Moscarda è fissato per sempre in questo
tempo e spazio lo deve per sempre al propio padre,
che per soddisfare il proprio piacere egoistico l'ha
messo al mondo (63).

2. *Determinazione*

La prigione formale di un determinato spazio e di
un determinato tempo si stabilisce senza pietà e «tanti»
fuori dall'atto «dell'uno» in virtú della molteplicità
dell'individuo. Le condizioni della vita si determinano
al di fuori di ogni volontà individuale quasi per un
volere casuale della società e della storia.

Nel silenzio delle cose informi ed impenetrabili
dello spirito, Moscarda sente «la prigione del tempo;
il nascere ora, e non prima e non poi; il nome e il
corpo che ci è dato; la catena delle cause; il seme gettato da quell'uomo; legato a quel ramo, espresso da
quelle radici» (vol. III, p. 1327). Il concetto psicologico derivato da queste conclusioni crea in lui un'ansia
profonda e segreta. La consistenza dell'uomo, come
«bizzarra creatura» è compresa solamente attraverso
«l'insofferenza assoluta» di Vitangelo, che sa «durare»
e «stabilirsi» storicamente. Nulla è piú riposante della
storia ove tutto è stabilito e determinato al momento
dell'incontro tra uomo e «fatto.» Nella storia nessun
fatto può cambiare, finché «un critico malvagio non
avrà la mala contentezza di buttare all'aria quella costruzione ideale» (64). La realtà del fatto spesso continua sino all'esasperazione e Moscarda deve prima o
poi venire a contatto con essa.

Nel capitolo settimo del libro quarto di *Uno, Nes-*

---

(63) Cfr. la novella *La trappola* (1912).
(64) Le novelle *Candelora* e *Romolo* presentano in modo particolare il rapporto tra «fatto» e «storia» e tra «storia» e «critico.»
Il dramma *Enrico IV* presenta il rapporto tra «storia» e individuo.

suno e *Centomila* Pirandello discute sotto le vesti di Moscarda il concetto di creazione e consistenza. In due novelle l'autore riprende in modo particolare questo problema. Il modo di trattare la relazione tra «fatti» e persona è identico nelle tre opere e perciò è interessante farne un rapporto dettagliato. Già si è visto che la novella *Candelora* (1917) presenta la relazione tra «forma» e «atto» qui si esamineranno le altre due novelle che condividono il brano del romanzo: *La carriola* (1916) e *Riposta* (1912). I due brani delle novelle qui presentati corrispondono a un brano unico nel romanzo.

UNO, NESSUNO E CEN-MILA	LA CARRIOLA
E come la forma gli atti. Quando un atto è compiuto, è quello, non cangia piú (65). *Quando uno, comunque, abbia agito, anche senza che poi si senta e si ritrovi negli atti compiuti, ciò che ha fatto resta, come una prigione per lui.... come spire e tentacoli vi avillupano le conseguenze delle vostre azioni e vi grava sopra, attorno, come un'aria densa, irrespirabile, la responsabilità* che *per quelle azioni e le conseguenze non volute e non previste vi siete assunti* (vol. III, p. 1333).	Nessuno può fare che il fatto sia come non fatto, e che la morte non sia, quando ci ha presi ci tiene. *Quando tu, comunque, hai agito anche senza che ti sentissi e ti trovassi dopo, negli atti compiuti; quello che hai fatto resta come una prigione per te. E come spire e tentacoli t'avillupano le conseguenze delle tue azioni. E ti grava attorno, come un'aria densa, irrespirabile la responsabilità per quelle azioni e le conseguenze di esse, non volute e non previste ti sei assunta* (vol. II, p. 719).

---

(65) «quando un fatto è un fatto non si cangia piú, è quello» (vol. II, p. 602). L'affermazione è tratta dalla novella *Candelora*.

Il secondo brano proviene dalla novella *Risposta.*

UNO, NESSUNO E CEN- RISPOSTA
MILA

Il che vuol dire che realmente Tizio è uno con me, uno
con voi, un altro con un
terzo, un altro con un quarto e via dicendo, *pur aven-*
do l'illusione anche lui, an-
zi lui specialmente d'essere
uno per tutti.

Pur avendo l'illusione cia-
scuno di che la signorina
Anita sia quella che conosciamo noi e *anche lei, lei*
soprattutto, d'esser una
sempre la stessa *per tutti.*

Il guaio è questo; o lo scherzo se vi piace meglio chiamarlo cosí. Compiamo un
atto e *crediamo in buona*
fede di essere tutti in quel-
l'atto. Ci accorgiamo pur-
troppo che non è cosí, e che
l'atto è invece sempre e solamente dell'uno dei tanti
che siamo o possiamo es-
sere, *quando per un caso*
sgiaguratissimo all'improv-
viso restiamo come aggan-
ciati e sospesi e ci accorgia-
mo voglio dire di non esse-
re tutti in quell'atto, e che
dunque *un'atroce ingiustizia*
sarebbe giudicarci da quel-
lo solo, tenerci agganciati e
sospesi ad esso, alla gogna,
per un'interna esistenza, co-
me se questa fosse tutta as-
sommata in quell'atto solo
(vol. III, p. 1333).

Sai da che nasce questa *il-*
lusione amico mio- Dal fatto che *crediamo in buona*
fede d'essere tutti ogni volta *in ogni nostro atto. Ce*
ne accorgiamo purtroppo
che non è cosí quando per
un caso disgraziatissimo al-
l'improvviso restiamo come
agganciati e sospesi e ci ac-
corgiamo bene, *voglio dire*
non essere tutti in quell'at-
to, e che un'atroce ingiusti-
zia sarebbe giudicarci da
quello solo, tenerci aggan-
ciati e sospesi ad esso, alla
gogna, per un'intera esisten-
za, come se questa fosse
tutta assommata in quel-
l'atto solo (vol. I, p. 234).

Come già si è visto precedentemente il brano del romanzo ripete fedelmente non solo le idee delle novelle ma ne usa le stessa parole, il che fa pensare ad una certa contemporaneità di composizione dei vari brani. I temi dell'«atto» (66) compiuto e della «prigione» rimangono invariati nei tre brani ed allo stesso tempo ne rimane invariato quello che sta sempre alla base: il tema della molteplicità dell'individuo.

In tutti e tre i brani si nota anche che i fatti seguono obbedientemente e perfettamente, quasi per una necessità logica, le cause determinanti dell'esistenza umana non solo nel caso di Moscarda ma anche di altri personaggi pirandelliani. Gli atti del personaggio sono perciò determinati ed egli trovandosi chiuso in questi limiti è obbligato a vedersi di continuo allo specchio per stabilire e definire il motivo della propria consistenza.

3. *Allo specchio*

La sorpresa di una realtà diversa da quella finora conosciuta produce uno scompiglio nella mente di Moscarda, il quale sente il bisogno di spiare sé stesso e di scoprire la validità della propria espressione. Moscarda sente un urgente bisogno di uno specchio; con esso egli è capace di riflettere profondamente sul proprio corpo e sopra i vari organi di esso: «il naso, le orecchie, le mani, le gambe» (67) (vol. III, p. 1293). Il cervello ozioso di Moscarda si mette finalmente in moto e si perde in una babele di scoperte e riscoperte. Per ore e ore egli scruta sé stesso allo specchio e cerca di «sorprendersi.» Ma l'immagine riflessa gli presenta

---

(66) Cfr. Federico Italia, op. cit., p. 41.

(67) *La trappola* ripete nella medesima successione questi organi del corpo umano inserendoli nel medesimo tema di investigazione personale. Altre due novelle si soffermano sulla descrizione degli organi del corpo umano: *La camera in attesa*; *La mano del malato povero.*

sempre un altro io, e lo sforzo compiuto lo esaspera ed egli si scompone proprio nell'attimo in cui crede di aver trovato sé stesso. Le amare conclusioni che raggiunge sono un preludio a quella che sarà la situazione umana della propria avventura.

Prima di arrivare alla pace finale della propria esistenza Moscarda deve continuamente mirarsi allo specchio, non solo per studiare i propri diffetti ma per scoprire definitivamente la propria identità e la propria espressione esistenziale. Il senso di scoperta del propio corpo produce inoltre un senso di «smania,» che ricorda la novella *Mentre il cuore soffriva* (68) (1928). «La smania» accompagnata da una certa «rabbia» è dovuta al fatto che Moscarda non possiede «una realtà sicura della esistenza» (vol. III, p. 1312) e deve guardarsi continuamente allo specchio.

La stessa avventura avviene al protagonista della novella *Soffio* (1931) che lotta contro la morte, che gli avveniva in forma di epidemia e alla quale risponde con la lotta tra immagine allo specchio e realtà del proprio essere. Come Moscarda egli deve però soccombere alla realtà oggettiva e alla società e dichiararsi vivo ma vinto in una lotta che non avrebbe mai potuto vincere se non distruggendo sé stesso. Allo stesso modo di Moscarda anche lui troverà pace nella comunione panica e mistica col creato in tutta la sua universalità: «il mio sguardo era l'aria stessa che carezzava senza che lei si sentisse toccare» (vol. II, p. 789).

Come conclusione alle sue osservazioni sulla vita Moscarda si trova in una remissione totale e decide di non guardarsi piú allo specchio. Il risultato che ottiene da questa decisione non influirà affatto sulla sua esistenza, anzi essa ne uscirà arricchita e ringiovanita,

---

(68) La novella è percorsa da velocità espressive nel contrasto vivo e reale della rappresentazione di movimenti e di parti del

sotto le vestigie di una vita, che anche ai profani sembra eterna. È qui la vittoria finale del «nulla,» e della successiva identificazione cosmica di Moscarda. L'esperimentazione iniziata da un fatto banale: l'osservazione del naso allo specchio; si conclude, attraverso considerazioni e riflessioni, in una spontaneità che non ha eguali nell'opera pirandelliana.

D. ILLUSIONI E REALTÀ

Nei momenti di «silenzio interiore,» quando il vuoto dell'anima si allarga oltre i confini del corpo e diventa senso di angoscia profonda, Vitangelo Moscarda coglie l'indefinita libertà del suo spirito e la spontaneità del suo essere. In questa situazione egli vive in un sentimento di sicurezza di sé e di consapevolezza della realtà, che trascende l'uomo e che è difficile esprimere in termini concettuali. Il problema della realtà si ricollega in *Uno, Nessuno e Centomila* al problema della personalità, considerata come condizione della realtà (soggettivismo) ed un principio più oggettivo: «la forma.» Per l'innato contrasto che sorge tra persone e cose Pirandello presenta in questo romanzo un suo sistema filosofico della realtà appena abbozzato e in un modo frammentario.

1. Illusioni

Nella vita di Moscarda l'illusione sostituendo fatalmente la realtà introduce una dialettica nuova tra pensiero e realtà, tra essere e sembrare. La realtà esiste soltanto se è pensata ed è veramente tale se il pensie-

---

corpo umano. Il tutto è in preparazione all'ultimo atto della vita: l'uccisione e alla necessaria inconclusione dell'atto finale; «E perché?», che lascia aperta ogni interpretazione da parte del lettore.

ro la pone fuori (69). Nella novella *Ritratto* (70) (1914) Pirandello cosí si esprime: «sono convinto che non c'è realtà e nessun altra realtà fuori delle illusioni che il sentimento crea, se un sentimento cangia all'improvviso, crolla l'illusione e con essa quella realtà in cui vivevamo, e allora ci vediamo subito perduti nel vuoto» (vol. II, p. 676).

La possibilità di conoscere e di «costruire» la verità rispecchia l'affermazione che il reale diventa apparenza e l'apparenza è il solo reale che ci sia per l'uomo. Infatti l'uomo pone condizionalmente la realtà allo stesso modo in cui costruisce la propria verità. Moscarda e tanti altri personaggi pirandelliani tra cui Stefano Giogli, pensono e sentono allo stesso modo secondo un determinato modo di vivere. Un'altra novella *Rimedio: la geografia* (71) (1921) riecheggia le affermazioni precedenti: «lo spirito pone come realtá esteriore le sue interne illusioni» (vol. I, p. 227).

L'argomentazione può continuare in una lunga serie di casi simili, certamente essa stava molto a cuore a Pirandello. Accanto a questa visione illusoria e soggettiva della realtà Pirandello, però, non esclude che al di là di essa ce ne sia un'altra piú oggettiva: «anch'esse le bestie, le piante e tutte le cose hanno poi un senso ed un valore per sé, che l'uomo non può intendere

---

(69) Nella novella *Un ritratto* si legge come non c'è altra realtà fuori delle illusioni che il sentimento crea.

(70) C'è nella novella una serie di considerazioni sulla vita, sulla realtà e sul rapporto madre-figlio. Il tutto è originato da una domanda sorta dalla osservazione di un quadro raffigurante un fratellastro del protagonista Stefano Cenci.

(71) Il tema della novella si trova nella veglia al capezzale della madre e nell'estenuarsi delle forze del vegliante. Parte da qui il filo conduttore con cui il narratore si sottrae al dolore insopportabile per lasciarsi penetrare dal pensiero di una realtà immaginaria di vita lontana e diversa nell'isola di Giamaica.

chiuso com'è in quelle che egli per conto suo dà alle une e alle altre» (72) (vol. III, p. 1316).

2. Realtà

Il termine realtà appare molte volte nel romanzo e definisce secondo le circostanze la totalità delle situazioni e delle «forme» diversamente intese di essa (73). La realtà diventa spesso il termine «a quo» di ogni investigazione soggettiva da parte di Moscarda, che conosce e comprende singolarmente la verità. È strano poi vedere come alla fine del romanzo Pirandello attraverso Moscarda ritrovi per vie nuove tutto il mondo della natura e delle cose ed il loro fascino particolare. Ciò delimita senza dubbio la funzione creativa del soggetto nei riguardi del mondo circostante. È certo che, mediante la propria conoscenza, Moscarda scopre che non c'è una linea netta di demarcazione tra realtà ed illusione nel rapporto espresso nei termini: fissità della forma e fluidità dell'essere.

Un parallelismo a queste premesse si verifica nella novella *La trappola* (74) (1912) in cui cosí si esprime il protagonista: «la realtà che vi siete data, e di cui

---

(72) «Un'altra insospettata realtà che le cose abbiamo per sé, nascosta oltre quella che comunemente si dà loro» (vol. I, p. 1071), *Pena di vivere cosí.*

(73) Il problema è toccato nella prefazione a *Sei personaggi in cerca d'autore* e nelle novelle: *Colloquio coi personaggi; Candelora; La trappola; Un ritratto; Canta l'epistola; I pensionati della memoria; Un'idea; L'illustre estinto; Di sera un geranio; Zuccarello distinto melodista; Effetti di un sogno interotto; I nostri ricordi; Superior stabat lupus; La realtà del sogno;* e nei drammi: *Pensaci Giacomino...; Il berretto a sonagli; Come prima meglio di prima; L'altro figlio; Tutto per bene.*

(74) Il protagonista consapevole del flusso della vita si sente intrappolato dalla modestia di una donna che rende incinta. Il tema della novella va oltre il fatto materiale e spiega il rapporto tra fluidità della vita universale e la fissità della forma. Quella che si chiama comunemente vita è morte perché l'unica ragione di essere è partecipare al «flusso inarrestabile della vita.»

riconoscete che essa non era altro che una vostra illusione.... non esiste alcuna realtà se non quella che ci
diamo noi» (vol. I, pp. 680-681). Queste sono le premesse per capire e comprendere «la presunzione» della
realtà e per dare un fondamento individuale al sentire.
Ognuno, infatti, si riconosce e si vuole in modo differente degli altri, come d'altronde Moscarda si sente e
si vuole a modo tutto suo (75). La realtà che Moscarda
si costruisce è unicamente sua e potrà vivere eterna
se avrà la forza di eternarla (76).

La realtà cosí costruita ha una vita tutta propria
e produce nell'animo di Moscarda un richiamo lontano
d'esilio angoscioso specie a contatto col mondo esteriore (77). Si può, in queste circostanze, capire come
tutto, al di fuori dell'uomo, diventa costruito: «case,
chiese e città.» Allo stesso tempo che l'uomo riduce e
costruisce nella sua mente una realtà finta egli forma
«un altro mondo nel mondo, mondo manifatturato,
combinato, congegnato, di finzione, di vanità, mondo
che ha senso e valore soltanto per l'uomo che ne è l'ar-
tefice» (78) (vol. III, p. 1315).

3. *La logica dei fatti*

Nel desiderio dell'irrazionale, fuori da ogni sistemazione logica «l'uomo piglia a materia sé stesso» e
produce «un certo senso, un certo aspetto, un certo valore.» È necessario questo lavoro per giustificare infatti, ogni costruzione umana come fatto individuale.
I fatti spiegono la realtà dell'individuo e del tragico
umano, perciò di Moscarda. Essi sono infiniti germi

---

(75) Cfr. *L'uomo dal fiore in bocca.*
(76) Cfr. *I pensionati della memoria* (1914) (vol. II, p. 122).
(77) Vedasi l'avventura di Fausto Silvagni della novella *La rosa* (1914).
(78) Cfr. la novella *Ritratto.*

di interminabili possibilità senza presente nè futuro perché l'esperienza umana si svolge nel passato. I fatti e gli atti umani sono relativi e contingenti e cosí lo è pure la realtà, perché ognuno non può superare i confini del suo mondo interiore. Spiega Moscarda: «la facoltà di illuderci che la realtà di oggi è destinata a essere quella vera, se da un canto ci sostiene, dall'altro ci precipita in un vuoto senza fine, perché la realtà di oggi è destinata a scoprirsi illusione domani. E la vita non conclude. Non può concludere, se domani conclude è finita» (vol. III, pp. 1334-1335). È tutto qui il segreto delicato di Moscarda, non c'è una realtà sola, «una per tutti,» ma una per ogni individuo. L'illusione non è altro quindi che un'imposizione di parole, che ciascuno intende e ripete a suo modo convincendosi del proprio pensiero e imponendolo agli altri come se fosse «un mondo fuori.»

Le «insospettate realtà» cosí scoperte si possono anche chiamare «false supposizioni, erronei giudizii e gratuite attribuzioni.» Con esse Moscarda arriva al punto finale della propria esistenza senza venire d'accordo con sé stesso e con alcun altro. Nell'attesa placida di quanto necessariamente può avvenire alla propria personalità, senza piú curarsi di nulla e di nessuno, Moscarda osserva dall'infinita lontananza di un tempo che ha perso ogni età quella realtà che è al di fuori.

4. *Cose immobili e divenire*

Il contrasto e l'accordo tra passato e futuro è oscillazione continua e ragione d'essere della vita, intesa come dramma. Essa per Moscarda, si scopre in un mistero di irrealtà e in bisogno di illusione, che pongono un punto fermo all'essere. Ma ciò è impossibile e nel terrore del vuoto Moscarda si salva nel sentirsi vivere negli altri. L'io universale sostituisce l'io individuale attraverso una giocosa partecipazione delle cose circostanti. Gli elementi della natura, i mobili, le case, il tutto inanimato diventano «intima parte dell'uomo,» quasi come se avessero acquistato «un'anima patriarcale che li rende cari» (79). La vitalità cosí attribuita agli oggetti è condivisa nel sentimento di immutabilità attonita di Moscarda e di Nane Papa in *Candelora*, che si sente: «come guardato da tutte quelle cose immobili attorno; e non solo guardato, ma anche come legato al fascino, quasi ironico, che spira dalla loro attonita immobilità e che gli fa apparire inutile, stupido, anche buffo il suo potersene andare» (80) (vol. III, p. 599).

L'anima dei mobili, specialmente i vecchi, vien dai ricordi «della casa dove sono stati per tanto tempo» (81) (vol. II, p. 859) e produce spesso un'angoscia, una smania orribile, una disperazione da cui è difficile sfuggire. Moscarda si sente in questo silenzio esteriore come un estraneo. Per questo, quando si trova nel retro della banca, crede di commettere quasi un furto sacrilego a contatto con gli antichi mobili paterni. La smania orribile da cui si sente «preso e guardato» ricorda il protagonista di *Ho tante cose da dirvi* (82) (1911) al quale tutti gli «oggetti non gli dicevano nulla, non gli sapevano dir nulla» (vol. II, p. 702).

5. *Natura*

Il «ricordo vivo» visto in contrasto al sentimento di smania ed angoscia costruisce una forma domestica

---

(79) *Ritratto* (1913) (vol. I, p. 1212).
(80) Tale concetto espresso con le medesime parole viene espresso da Pirandello anche nella novella *La trappola*.
(81) Cfr. *La casa dell'agonia* (1935).
(82) In questa novella c'è l'estrema consistenza che la vita umana assume in rapporto con gli altri esseri. La povera signora Moma, moglie di un musicista illustre ed avezza ad essere il centro di una

di pace. Moscarda che cerca affanosamente questa pace finirà per trovarla nella «campagna» e nella susseguente identificazione con la natura. «Ah non aver piú coscienza di essere, come una pianta, come una pietra. Non ricordarsi piú neanche del propio nome. Sdraiati quà sull'erba, con le mani intrecciate alla nuca, guardare il cielo azzurro, le bianche nuvole abbarbaglianti che veleggiano gonfie al sole, udire il vento che fa lassú, tra i castagni del bosco, come un fragor di mare» (vol. III, p. 1313).

Questo brano si trova negli ultimi capitoli del libro secondo di *Uno, Nessuno e Centomila* ed è un preludio alla conclusione liberatrice del romanzo. Quando Moscarda finirà per identificare sé stesso con la natura troverà finalmente pace con Dio. La natura è Dio e qualunque tentativo di interpretarla è abbassare Dio al livello dell'uomo. L'uomo percepisce e sente il reale ma è a sua volta percepito e pensato dalle cose circostanti. L'uno è parte del tutto e i termini vita-morte si invertono in Moscarda per lasciare posto all'ultimo respiro di evasione: essere anche una pietra, una cosa, un fiore (83).

Nel 1915 Pirandello pubblica sulla rivista *Sapientia* parte del romanzo *Uno, Nessuno e Centomila* e non a caso il brano che si studierà da vicino è il brano in questione. Tale brano si trova anche nella novella *Canta l'epistola* (1911) dove la «sacra comunione» con le cose

---

fervida cerchia di ammiratori non riesce a stabilire un nuovo rapporto alla morte del marito perché mai ha avuto una vita sua e sempre ha accettato e vissuto la vita degli altri.

(83) La novella *Di sera un geranio* (1934) induce su questa affermazione e considerazioni di identificazione mistica e di religiosità nuova. Pirandello molto sicuramente e forse con piú ragione alla fine della sua vita e nelle sue ultime novelle invoca una forma piú effimera al momento di svanire nel nulla. Questo approdo verso il nulla si verifica anche agli inizi della sua carriera letteraria specialmente nella vicenda del protagonista del romanzo *Il Fu Mattia Pascal* attraverso il piano sociale della vita.

si trasforma in personaggio e Tommasino Unzio diventa tutt'uno in esse. Il giovane chierico, come Moscarda, perduta la fede comprende il senso di vanità di ogni cosa e accetta la morte non solo come liberazione totale ma anche come una forma di partecipazione alla vita dell'universo, operando una specie di suicidio interiore.

UNO, NESSUNO E CENTOMILA	CANTA L'EPISTOLA

Ah, non aver più coscienza di essere come una pietra, come una pianta. Non ricordarsi più neanche del proprio nome.

Non aver più coscienza d'essere come una pietra, come una pianta. Non ricordarsi più neanche del proprio nome; vivere per vivere, senza saper di vivere, come le bestie, come le piante; senza più affetti nè desideri, nè memorie, nè pensieri; senza più nulla che desse senso e valore alla propria vita.

Sdraiati qua sull'erba, con le mani intrecciate alla nuca, guardare nel cielo azzurro le bianche nuvole abbarbaglianti che voleggiano *gonfie al sole; udire il vento che fa lassú tra i castagni del bosco, come fragor di mare.*

Ecco sdraiato sull'erba, con le mani intrecciate dietro alla nuca, guardare nel cielo azzurro le bianche nuvole, nuvole, abbarbaglianti, gonfie, di sole; udire il vento che faceva nei castagni del bosco, come un fragor di mare, e nella voce di quel vento e in quel fragore di sentire come da un'infinita lontananza la vanità di ogni cosa e il tedio angoscioso della vita.
Nuvole e vento.

Nuvole e vento, avete detto? Ahimé, Ahimé. Nuvole? Vento? E non vi *sembra già tutto avvertire e riconosce-*

Eh, ma era già tutto avvertire e riconoscere che quelle

re che quelle che veleggiavano luminose per la sterminata vacuità azzurra sono
nuvole. Sa forse d'essere
una nuvola? Ne sanno di lei
l'albero e la pietra che ignorano anche sé stessi; e
sono soli. Avvertendo e riconoscendo la nuvola, voi
potete cari miei pensare alla
vicenda dell'acqua e per-
ché no, che diventa nuvola
per divenir poi acqua di
nuovo. Bella cosa sí. E basta
a spiegarvi questa vicenda
un professoruccio di fisica.
Ma a spiegarvi il perché dei
perché?

che veleggiavano luminose
per la sterminata vacuità
azzurra erano nuvole. Sa
forse d'essere la nuvola? Ne
sapevano di lei l'albero e
pietra che ignorano anche
sé stessi. E lui, avvertendo
e riconoscendo la nuvola,
poteva anche — perché
no — pensare alla vicenda
dell'acqua che diventa nuvola per ridivenir acqua di
nuovo. E bastava a spiegar
questa vicenda un profes-
soruccio di fisica; ma a spiegar il perché dei perché?

L'uccellino.

Sentite, sentite: su nel bosco dei castagni, picchi d'accetta, Giú nella cava picchi
da piccone. Mutilare la montagna, atterrare alberi per
costruire case. Là nella vecchia città altre case, stenti,
affanni, fatiche e pene d'ogni sorta: perché? Ma per
arrivare a un comignolo,
signori miei; e far uscire da
questo comignolo poi un pò
di fumo.
Ogni pensiero, ogni memo-
ria degli uomini. Siamo in
campagna, il languore ci ha
sciolto, le membra:

Su nei boschi dei castagni,
picchi d'accetta. Giú nella
cava picchi da piccone. Mutilare la montagna, atterrare
alberi per costruire case. Là
in quel borgo montano altre
case, stenti, affanni, fatiche
e pene d'ogni sorta, perché?
Per arrivare ad un comignolo e far uscire poi da questo
comignolo un pò di fumo,
subito disperso nella vanità
dello spazio. E come quel
fumo ogni pensiero, ogni
memoria degli uomini. Ma
davanti all'ampio spettacolo della natura, a quello im-

é naturale che *illusioni* e
disinganni, dolori e gioie,
speranze e desideri *ci ap-*
paiono vani e transitori, di
fronte al sentimento che
spira dalle cose che restano
e sopravvanzano ad essi, im-

passibili. Basta guardare là
quelle alte montagne oltre
la valle, lontane, lontane,
sfumanti all'orizzonte, lievi
nel tramonto, entro rossi
vapori. Ecco sdraiato, voi
buttate all'aria il cappellaccio di feltro: diventate quasi tragico; esclamate:
Oh ambizioni degli uomini.
Già per esempio *che grida*
di vittoria perché l'uomo,
come quel vostro cappellaccio s'è *messo a volare a far*
l'uccellino. Ecco intanto qua
un vero *uccellino come vola.*
L'avete visto? *È la facilità*
più schietta e lieve, che s'ac-
compagna spontanea ad un

menso piano verde di quer-
cie e d'ulivi e di castagni,
degradante dalle falde del
Cimino fino alla valle tibe-
rina laggiú, laggiú, sentiva a
poco a poco rasserenarsi in
una blanda smemorata leti-
zia.
Tutte le *illusioni* e tutti i *di-*
singanni e i *dolori* e le *gioie*
degli uomini *gli apparivano*
vani e transitori, di fronte
al sentimento che spirava
dalle cose che restano e
sopravvanzano ad essi, im-
passibili. Quasi vicenda di
nuvole gli apparivano nel-
l'eternità della natura i singoli fatti degli uomini.
Bastava guardare quegli alti
monti di là dalla valle tibe-
rina, lontani, lontani, sfu-
manti all'orizzonte, lievi nel
tramonto e quasi aerei.

Oh ambizioni degli uomini.
Che grida di vittoria perché
l'uomo s'era messo a vola-
re come un uccellino. Ah
ecco qua un uccellino come
vola: è la facilità più schiet-
ta e lieve, che s'accompa-
na spontanea ad un trillo di
gioia. Pensare adesso al gof-
fo apparecchio rombante e

UNO, NESSUNO E CEN-TOMILA	CANTA L'EPISTOLA
trillo di gioia. Pensare adesso al goffo apparecchio rombante e allo sgomento, all'ansia, all'angoscia mortale dell'uomo, che vuole fare l'uccellino. Qua un frullo e un trillo; là un motore strepitoso e puzzolente, e la morte avanti. Il motore si guasta; il motore si arresta; addio, addio uccellino — Uomo — dite voi sdraiati qua sull'erba — lascia di volare. Perché vuoi volare? E quando hai volato? (vol. III, pp. 1313-1314).	*allo sgomento, all'ansia, all'angoscia mortale dell'uomo, che vuole fare l'uccellino. Quà un frullo e un trillo; là un motore strepitoso e puzzolente, e la morte davanti. Il motore si guasta; il motore si arresta; addio, addio, uccellino — Uomo — diceva Tommasino Unzio, lí sdraiato sull'erba — lascia di volare. Perché vuoi volare? E quando hai volato?* (vol. I, pp. 446-447).

I testi or ora presentati hanno non solo una convergenza di idee e di concetti ma anche una quasi totale trasposizione verbale e il trasferimento della forma espressiva. Già si è visto precedentemente come Pirandello si richiami spesso a testi precedenti, qui avviene la stessa cosa non certamente per mancanza d'idee da parte dell'autore ma per un elemento vivido di caratterizzazione e di obiettivazione artistica. Quantunque i due brani non siano molto dissimili nel contenuto è difficile confondere i personaggi involti sia nella novella e nel romanzo appunto per uno sforzo personale di Pirandello di creare distinguendo nuovi volti da materiale già usato. È chiaro qui che il tema di identificazione e comunione mistica con la natura è richiamo a quella che sarà la conclusione della esistenza terrena sia di Moscarda, che indosserà il saio del manicomio, sia di Tommassino Unzio, che accetta di essere ucciso.

L'accettazione del cosmo attraverso le cose comuni ha per Moscarda dei parallelismi col protagonista di

Quando ero matto (1902). «Penetravo nella vita delle piante e, man mano, dal sassolino, dal filo d'erba assorgevo, accogliendo e sentendo in me la vita di ogni cosa, finché mi pareva di divenir quasi il mondo, che gli alberi fossero mie membra, la terra fosse il mio corpo, e i fiumi le mie vene, e l'aria la mia anima e andavo un tratto cosí estatico e compenetrato in questa divina visione. Svanita, restavo anelante, come se davvero nel gracile petto avessi accolto la vita del mondo» (vol. II, p. 164).

La partecipazione di Moscarda, Tommasino Unzio e Fausto Bandini alla vita dell'universo è liberazione dalla condanna a vivere in una forma spaziale e temporale che non si addice a loro e che l'umanità ha loro imposto. Considerando le varie date di pubblicazione delle due novelle e del romanzo bisogna notare come il pensiero di Pirandello sia rimasto costante su questo particolare della sua visione tematica (84).

Il processo di liberazione di Moscarda iniziato con questa prima identificazione con la natura trova nuovo impeto nell'avventura amorosa di Anna-Rosa ma si realizzerà con pienezza nella visione beatifica della natura e della sua fuga nella campagna. Il sentimento di libertà che accompagna l'illusione della fuga produce un «senso di smemorata lontananza» e di «dolcissima angoscia,» che ogni uomo vorrebbe ma non può raggiungere. Trovata la sua «pace» Moscarda potrà «per-

---

(84) Giuseppe Giacalone, op. cit., p. 70. «Si potrebbe dire con certezza che la vanità di ogni cosa e il tedio angoscioso della vita siano i sentimenti dominanti di tutte le opere del Pirandello e di tutti i suoi personaggi. La tragedia stessa dell'uomo pirandelliano avviene appunto quando egli, dopo aver constatato l'impossibilità di attuare i propri ideali di vita, acquista piena coscienza del vivere, ed allora denuda la propria anima, disgregando e annullando la sua vita. Ma, ironia tutta pirandelliana, proprio allora da maschera diventa veramente uomo, persona umana; però la sua coscienza di vivere coincide pienamente con la sua stessa angoscia esistenziale.»

dersi là, distendersi, abbandonarsi, cosí tra l'erba, al silenzio dei cieli; empirsi l'anima di tutta quella vanità azzurra, facendovi naufragare ogni pensiero, ogni memoria» (vol. III, p. 1412).

La libertà cosí raggiunta lo rende vulnerabile ad ogni forma identificatrice, classificante e concludente degli uomini. Forse per queste premesse le pagine piú profonde e idillisticamente piú belle del romanzo sono quelle dove la visione della natura riceve una elevazione artistica senza eguali. La realtà spesso diventa immagine, ma il sentimento che essa suscita nell'animo di Moscarda vivifica l'immagine stessa e dà valore espressivo al senso della natura (85). Infatti Moscarda parla di piante, alberi ed erba appunto come parti della propria vita.

Continuando il brano del romanzo messo in relazione alla novella *Canta l'epistola* si può constatare che il romanzo condivide la parte conclusiva del libro secondo con un'altra novella *Alberi cittadini* (1900). La novella è allo stesso tempo una rappresentazione semplice e solenne della prigionia e del senso di libertà perduta a cui sono costretti a vivere involontariamente gli alberi cittadini. Il loro rapporto con Moscarda non è solo di similitudine ma di sofferenza reciproca facendo tutti parte del medesimo essere universale.

UNO, NESSUNO E CEN-TOMILA	ALBERI CITTADINI
Guardatemi ora questi *alberi* che *scortano di qua e di là in fila lungo i marcia-*	Che noia deve essere la vostra *poveri alberi, appaiati in fila lungo i viali* della cit-

---

(85) Cfr. *Alberi cittadini* e *Giardinetto lassú* (1919, pubblicata nel 1897 col titolo *Nonno Brauer*). Queste due novelle non solo condividono molte idee col romanzo *Uno, Nessuno e Centomila* ma tra loro condividono un intero brano: La descrizione del mandorlo in fiore.

piedi questo nostro *corso* di Porta Vecchia che aria smarrita *poveri* alberi cittadini, tosati e pettinati.... che per farci ombra facciamo crescere *in mezzo alla città*. Pare che chiedano *nel vedersi cosí specchiati in quelle vetrine di botteghe, che* stiano a farci qua *tra gente affaccendata, in mezzo al fragoroso trasmestio della vita cittadina.* Ebbene *la terra,* ogni anno, lí, nella sua stupida maternità ingenua cerca di approffitare di quel silenzio. Forse crede che lí non ci sia piú città; che gli uomini abbiano disertato quella piazzetta; e tenta riprendersela, allugando zitta, zitta, pian pianino, *di tra il selciato tanti fili d'erba.* Nulla è piú fresco e tenero di quegli esili e timidi fili d'erba cui verzica in breve tutta la piazzetta. Ma ahimé non durano piú di un mese. È città lí, e non è permesso ai fili d'erba di spuntare. Vengono ogni anno *quattro o cinque spazzini s'accosciano in terra* e con certi loro ferruzzi li strappano via. Io vidi l'altro anno che *due uccelletti che* udendo lo stridore di quei ferruzzi su grigi scabri qua-

tà e anche talvolta lungo le vie lastricate, *di qua e di là sui marciapiedi.... fra tanta gente affaccendata, in mezzo al fragoroso transito della vita cittadina.* Con che mesta meraviglia *si vedon* rispecchiati *nelle vetrine delle botteghe.* E pare che loro stessi si commiserano, scotendo lentamente i rami a qualche soffio di vento.

La terra.... sotto le case innumeroveli che la schiacciano, sotto le selci di continuo calpestate dagli uomini, vive, vive, e voi sentite con le radici l'ardore di questa sua novella vita che non sa tenersi nascosta e schiuma *di tra le selci in tenui fili d'erba.* Ah! Forse mirando quei verdi ciuffi concepita la folle speranza che la terra voglia fare la vostra vendetta invadere la città per riscattarvi; e vedete in sogno quei ciuffi crescere nella via diventare un prato, e la città campagna. Si ma che fanno intanto *quei stradini accosciati,* curvi *sul selciato,* che raschiano? — lo domandate ad *un passero che* dai tetti è venuto a posarsi su di voi e il passero garrulo e pette-

dratini del selciato, volava-   golo *vi risponde ghignando*
no dalla siepe alla grondaia
del convento, di qua alla siepe di nuovo, e scotevano il
capino e guardavano di traverso, quasi chiedessero an-
gosciati, che cosa stessero
a fare quegli uomini là
— *E non lo vedete*, uccelli-   — *E non lo vedete*. Son bar-
ni — *dissi loro* — Non ve-   *bieri, Fanno la barba alla*
dete che fanno? *Fanno la*   *via* (vol. II, pp. 1104-1105).
barba al selciato (vol. III,
pp. 1315-1316).

Questo rapporto non presenta come i precedenti un
trasferimento totale o quasi totale dei testi ma indica
certamente una certa comunione d'immagini di cui
Pirandello si è saputo ampiamente servire (86). La novella *Alberi cittadini* essendo del 1900 è la fonte piú
antica a cui Pirandello si riferisce nella composizione
di *Uno, Nessuno e Centomila*. L'intervallo abbastanza
lungo nel tempo di composizione delle due opere fa
pensare che l'interesse per la natura non si affievola
in Pirandello, anzi cresce col passare degli anni. L'interesse per la natura che si vede cosí ardentemente
espresso attraverso molti dei suoi personaggi sicuramente accompagna il nostro autore attraverso tutta la
sua vita con un senso di struggente tenerezza e lo induce a immedesimarsi come conclusione finale nell'immensità del creato.

---

(86) «E l'erba nel silenzio dei mesi rispuntare ai margini dei
marciapiedi, rasente i muri, esile, tenerissima, abbrividente ad ogni
soffio d'aria, riprendersi tutto il battuto delle strade» (vol. I, p. 897).
La citazione è della novella *La distruzione dell'uomo* (1921).

Moscarda, in cui Pirandello ha voluto nascondere sé stesso, inizia la propia immedesimazione con la natura attraverso i ricordi della propria fanciulezza. Nelle prime pagine del romanzo, non manca questa reminiscenza del passato, anzi nella sua lunga esposizione si avvicina al contenuto della novella *Ritorno* (1923). Nella novella e nel romanzo si verifica attraverso una precisa descrizione il ricordo della casa paterna. Nella novella il ricordo della casa paterna accompagna il ricordo delle dissaventure familiari, di cui il protagonista, Paolo Marra, si sente colpevole.

UNO, NESSUNO E CENTOMILA	RITORNO

Ero allora ragazzo, e soltanto piú tardi potei rendermi conto che proprio all'ultimo quella casa era lasciata da mio padre non finita e quasi aperta a chiunque volesse entrarvi. *Quell'arco di porta senza la porta, che supera tutta la centina da una parte e dall'altra dei muri di cinta della vasta corte davanti non finiti....*

L'immagine della rovina era in *quell'arco di porta senza la porta che supera tutta la centina da una parte e dall'altra dei muri di cinta della vasta corte davanti non finiti*; muri ora vecchi di pietra rossa.... Ecco il padre aveva voluto mettere tra la casa e la strada quella corte. Poi forse presentendo l'inutilità del riparo, aveva lasciato cosí sguarnito l'arco e a mezzo i muri di cima. *Dapprima nessuno s'era attentato ad entrare,* perché *per terra rimanevano tante pietre intagliate, e pareva con esse che la*

...Finché visse mio padre nessuno s'attentò ad entrare in quella corte. *Erano rimaste per terra tante pietre intagliate; e* chi passava vedendole potè pensare dap-

prima *che la fabbrica per poco interrotta, sarebbe presto ripresa. Ma appena l'erba cominciò a crescere tra i ciottoli e* lungo *i muri, quelle pietre inutili sembrarono come crollate e vecchie. Col tempo morto mio padre, divennero i sedili*

delle comari del vicinato, le quali, titubanti da principio ora l'una ora l'altra s'arrischiarono a varcare la soglia, come in cerca di un posto riparato dove si potesse mettere seduti bene all'ombra e in silenzio; e poi visto che nessuno diceva nulla, lasciarono alle loro galline la titubanza ancora per poco, *e presero a considerare quella corte come loro, come loro l'acqua della cisterna,* che vi sorgeva in mezzo *e vi lavavano e vi stendevano i panni ad asciugare; e in fine col sole che abbarbagliava allegro da* tutto *quel bianco di lenzuola e camicie svolazzanti dai cor-*

fabbrica per poco interrotta, sarebbe stata *presto ripresa. Ma appena l'erba cominciò a crescere tra i ciottoli e i* vecchi *muri, quelle pietre inutili erano apparse come crollate e vecchie.* Parte erano state portate via *dopo la morte di mio padre,* quando la casa era stata svenduta a tre diversi compratori e quella corte era rimasta senza nessuno che vi accampasse sopra diritti; e parte *erano divenute col tempo i sedili delle comari del vicinato, le quali* ormai consi-

deravano quella corte come loro, come loro l'acqua della cisterna e vi lavavano e vi stendevano i panni ad asciugare, e poi col sole che ab-barbagliava lieto *e allegro da quel bianco di lenzuola e camicie svolazzanti sui cordini tesi, si scioglievano*

— 113 —

8

dini tesi, si scioglievano sulle spalle i capelli lustri d'olio per «cercarsi» in capo, come fanno le scimmie tra loro (vol. III, pp. 1304-1305).	*sulle spalle i capelli lustri d'olio per «cercarsi» in capo, come fanno le scimmie tra loro* (vol. I, pp. 1212-1213).*

A questo punto si rende necessario capovolgere lo svolgimento del brano tratto dalla novella perché il romanzo ha una successione differente degli avvenimenti. Mentre nel romanzo la descrizione della corte segue le immagini or ora accennate; nella novella la descrizione della corte precede ogni altra immagine.

UNO, NESSUNO E CEN-   RITORNO
TOMILA

Acciottolata come una strada, questa *corte è tutta in pendio*. Mi rivedo ragazzo, ragazzo, uscito per le vacanze dal collegio, affacciato di sera tardi a uno dei balconi della casa allora nuova. Che pena infinita mi dava il vasto biancore illividito di tutti quei ciottoli in pendio con quella grande *cisterna in mezzo*, misteriosamente sonora. *La ruggine s'era quasi mangiata fin d'allora la vernice rossigna del gambo di ferro che in cima regge la carrucola* dove scorre la fune della sechia *e come mi sembrava triste quello sbiadito colore di vernice su quel gambo di ferro che ne pareva malato.*	Passato l'arco *la corte in salita, acciottolata, come una strada*, aveva *in mezzo* una *cisterna*. *La ruggine s'era quasi mangiata fin d'allora la vernice rossigna del gambo di ferro che in cima reggeva la carrucola* *e com'era triste quello sbiadito colore di vernice su quel gambo di ferro che ne pareva malato.*

UNO, NESSUNO E CEN-TOMILA	RITORNO
Malato, fors'anche dalla ma-linconia dei cigolii della car-rucola quando il vento di notte, moveva la fune e sul-la corte deserta era la chia-rità del cielo stellato ma velato, che in quella chiari-tà vana di polvere sembra-va fissato là sopra per sem-pre (vol. III, p. 1305).	*Malato, fors'anche dalla ma-linconia dei cigolii della car-rucola quando il vento di notte, moveva la fune della secchia e sulla corte deserta era la chiarità del cielo stel-lato ma velato, che in quella chiarità vana di polvere sem-brava fissato là sopra per sempre* (vol. I, p. 1212).

Eccetto alcuni cambi resi necessari per lo stile sia della novella e sia del romanzo si constata che i due brani messi a confronto sono simili sotto diversi aspet-ti. Il ricordo della casa paterna non ha subito alcuna variazione nel passaggio da una all'atra opera di Pi-randello. Un'altra considerazione nel confronto di ques-ti brani sorge dalla differenza in date; siccome la no-vella è del 1923 e il brano nel romanzo si trova all'inizio si può pensare di un trasferimento dal romanzo alla novella e non viceversa come nei confronti precedenti si è potuto pensare.

L'immagine della cisterna nel mezzo della corte acciottolata doveva apparire in una delle ultime novelle di Pirandello: *Fortuna di essere cavallo* (1934). «Lí, dietro la porta chiusa, subito dopo l'entrata nel cortile rustico in pendio, dall'acciottolato logoro e la cisterna in mezzo» (vol. II, p. 875). Ma mentre nelle novelle la descrizione della casa è semplice fatto fisico in *Uno, Nessuno e Centomila* si trasforma in ricordo del pas-sato che s'avvicina sempre piú alla contemplazione e alla immedesimazione mistica con la natura per cui Moscarda diventa uno con essa.

«Il suo misticismo panteistico non è di natura reli-giosa ma sentimentale e romantica; è evasione, ansia di approdo dinanzi al delirio dell'inconsistenza irriducibile della vita; ma non è meta finale, annullamento del vivere, se è vero che il personaggio «muore ogni attimo e rinasce di nuovo e senza ricordi: vivo e intero non piú in sé, ma in ogni cosa fuori.» Il che significa che il vivere si riduce a mere sensazioni, senza piú poter pensare e fare con la mente vane costruzioni; cosí solamente il personaggio, annullando il pensiero, la memoria, può vivere la sua vita sensoria diventare albero, nuvola, vento, rinascere attimo per attimo, como sensazione, riducendosi veramente a nulla, pur di avere una certa consistenza sia pure occasionale, ma senza coscienza. In nessun altro romanzo il Pirandello riuscí cosí compiutamente a realizzare questo delirio dell'annullamento e della scomposizione dell'uomo, chiuso irreparabilmente nella sua solitudine e nella sua incomunicabilità» (87).

Il segreto di unificazione con la natura si manifesta attraverso «la volontà,» «la riflessione» e «la coscienza» e si consacra nell'Essere infinito. La sua anima in questo nuovo mondo diventa sempre piú affascinata dalla «sacra intimità con le cose e discende al limitare dei sensi e percepisce «ogni lieve moto, ogni lieve rumore» (88) (vol. II, p. 163). La risposta è finalmente trovata e Moscarda accetta nella comunione con la natura la sostituzione della consistenza della vita.

E. ARTE (89) E VITA (90)

Dopo aver esaminato i vari temi attraverso il loro

---

(87) Cfr. Federico Italia, op. cit., pp. 73-82 passim. Cfr. Giuseppe Giacalone, op. cit., pp. 193-194.

(88) Cfr. la novella *Quand'ero matto*.

(89) Il problema dell'arte è risolto in tre piani: a) psicologico — *Suo marito*; *Candelora*; b) realistico — *Sei personaggi in cerca d'autore*; *I giganti della montagna*; c) idealistico-sperimentale *Trovarsi*.

(90) Cfr. Giovanna Abete, op. cit., pp. 14-15. Federico Vittore

sviluppo nella trama del romanzo, non si può fare a meno di mettere in luce ciò che in essi si trovava spesso nascosto. Il motivo dominante che sottolinea questi temi non è altro che un «libero movimento vitale,» che non solo anima lo svolgersi fantastico della vicenda di Moscarda ma è fondamentale per capire tutto il lavoro artistico di Pirandello.

Uno, Nessuno e Centomila come tante opere pirandelliane si muove sul tema che esprime «la fluidità» della vita in contrasto ad ogni stagnazione della «forma» (91). Nel romanzo però, come nessuna altra opera, Pirandello analizza l'uomo nella sua problematicità e lo presenta nella nudità dei suoi sentimenti. Riferimenti all'epoca e mondo contemporanei danno rilievo al protagonista del romanzo. Con *Uno, Nessuno e Centomila* Pirandello «ha vissuto in sé e osservato attorno a sé la discordia spirituale dell'epoca, il fenomeno della dissociazione interna e le inquietudini, che ne derivano. Si è sentito al bivio tra mondo vecchio e mondo nuovo, afflitto da dubbi ma desideroso di non restare in disparte, scettico e diffidente, bensí di scendere giú nella realtà del tempo, riconoscendene l'attualità irritante dei problemi nel profondo malessere sociale» (92). Nell'introduzione al romanzo sulla rivista la *Fiera Letteraria* nel 1925 il figlio Stefano fa fede alle affermazioni precedenti fatte dal critico Gösta Andersson per il periodo giovanile di Pirandello. Assieme a questa dimensione sociale e storica Pirandello associa allo

---

Nardelli inserisce senza dubbio il motivo «vita» nell'arte pirandelliana.

(91) «Avrei odiato ogni tempo.... Che noi ci fabbrichiamo con quel pò di movimento e di calore che resta chiuso in noi, del flusso continuo che è la vera vita e non s'arresta mai... E dunque, arrestato in noi, il perpetuo movimento vitale, far di noi tanti piccoli stagni..... mentre la vita è flusso continuo, incandescente, indistinto» (vol. II, p. 682). La citazione proviene dalla novella *La trappola*.

(92) Gösta Andersson, *Arte e Teoria*. Uppsala, 1966, p. 140.

stesso tempo un certo carattere autobiografico al romanzo oggetto di questo studio (93).

1. *Vita e forma* (94)

Alcuni critici pirandelliani, tra cui Adriano Tilgher, parlando della tematica di Pirandello, accennano continuamente al contrasto «vita-forma;» riprendendo questo dualismo ormai famoso sarebbe interessante riferire e sostituire il termine «arte» al termine «forma» e studiare perciò la relazione esistente tra vita e arte. Vita intesa come slancio naturale e arte intesa come forza potente di creatività, con una sua consistenza relativa e viva allo stesso tempo in una realtá propria (95).

Nel rapporto arte-vita Vitangelo Moscarda conduce la propria vita, che gli impone come accettazione di una «forma» (96): la rappresentazione fisica del proprio io. Il «vedersi vivere» ha qui un'importanza fondamentale per comprendere la relazione che esiste tra soggetto conoscente e oggetto conosciuto. Nel romanzo si nota che l'arte è vera nella finzione e la vita è falsa nella sua realtà. La vita a sua volta è dinamica, perciò cangiante, varia e malleabile. L'arte per la sua fissità è compiuta, perfetta e definitiva. Dal contrasto fra vita e arte il problema della personalità viene illuminato in modo particolare, se ciò non avvenisse tale problema non avrebbe con quello estetico alcun rapporto (97).

---

(93) Cfr. Giovanna Abete, op. cit., p. 218.

(94) Cfr. Federico Italia, op. cit., p. 91.

(95) «L'arte sua, lei sola la vive, l'opera che potentemente piglia corpo dalla luce e dal tormento della sua anima» (vol. II, p. 601). La citazione proviene dalla novella *Candelora*. Si confronti anche il dramma *Sei personaggi*.

(96) Cfr. Federico Italia, op. cit., p. 29.

(97) Si vedano le novelle *Colloquio coi personaggi*; *Candelora*; *Il pipistrello*; *La tragedia di un personaggio*; e i drammi: *Trovarsi*; *Diana e la Tuda*; *Quando si è qualcuno*; *Questa sera si recita a soggetto*; e il romanzo: *Quaderni di Serafino Gubbio operatore*.

La vita è sentita, vista e pensata e l'arte ne diventa la misura di essa. L'artista creandola non fa altro che riflettere la vita precedentemente osservata e riflessa in ogni forma di espressione. «L'essere, sapere e operare sono tre leggi che dovrebbero immedesimarsi e imporsi» (98) ed allora soltanto l'esistenza dell'uomo, rigenerato dalle sue meditazioni, riesce a trovare la norma artistica, che dirige la sua vita, e lo sviluppo perfetto del suo ideale (99).

Lo sdoppiamento della personalità è spesso sentito da Moscarda nel «vedersi vivere» e nella mutabilità del proprio essere in contrasto alla fissità della forma. L'angoscia che deriva da questo stato d'animo lo rende estraneo alla vita di questo mondo e lo induce a rassegnarsi in attesa della morte. Moscarda ora può vivere la vita «con gli occhi pieni d'orrore» (100) e accettando questa realtà ha compassione per coloro «che non sanno quel che vedono» (101). Contemplando la vita egli finalmente accetta l'impossibilità di una conoscenza universale e oggettiva e il dislivello metafisico della realtà umana e dell'universo e la impossibilità dell'uomo di raggiungere una dimensione esistenziale che lo trasporti al di fuori dello spazio e del tempo.

---

(98) Cfr. il saggio *Arte e Coscienza d'oggi*.

(99) Tale visione tematica è costante in tutta l'opera di Pirandello, infatti appare già in diverse opere giovanili dell'autore e nei *Saggi*, come Gösta Andersson nel suo studio *Arte e Teoria* ha fatto notare.

(100) Nella novella *Filo d'aria* (1914) Pirandello dà un esempio caratteristico dello stato psicologico dell'individuo che ha scoperto la verità della esistenza; per i giovani la vita si sente e non si vede, per i vecchi si vede ma è ormai troppo tardi per sentirla.

(101) *La distruzione dell'uomo* (1921) «piccoli bruti che vivono per vivere, senza saper di vivere, se non per quel poco che ogni giorno parevano condannati a fare sempre le stesse cose.»

2. *Spazio e tempo* (102)

Vivere nel mondo implica un determinato «spazio» e in un determinato «tempo.» «Tempo, spazio: è una necessità. Sorte, fortuna, casi: trappole tutte della vita. Volete essere? C'è questo. In astratto non si è. Bisogna che si intrappoli l'essere in una forma, e per alcun tempo si finisce in essa, quà e là cosí o cosí. E ogni cosa finché dura porta con sé la pena della forma, la pena d'essere cosí e non poter essere altrimenti» (vol. III, p. 1332). «Nella trappola di questo tempo» Moscarda vive miticamente la fluidità della sua esistenza, della sua vita vista attraverso lo specchio della sua coscienza, che è l'universo. La vita cosí universalmente contemplata assume immagini di «vento,» «mare» e «fuoco,» che sempre esprimono la grandezza mistica e sempre in movimento di essa (103).

Il tempo a sua volta assume una funzione centrale e corrisponde al concetto della mutabilità della coscienza e dell'anima. Nel fluire continuo del tempo Moscarda trova la stabilità tutta sua e di nessun altro. La stabilità raggiunta attua nuovamente il problema della personalità e di conseguenza quello della relatività e della contingenza di ogni essere e di ogni cosa. La relatività dello spazio e del tempo fa pensare ad una forma soggettiva della conoscenza e produce le piú paradossali e interessanti scoperte (104). Ogni crea-

---

(102) Tempo e Spazio sono per Pirandello forme soggettive della coscienza, in questo senso richiama alla mente Sant'Agostino e Kant. Queste idee sono presenti nelle novelle: *La tragedia di un personaggio*; *Rimedio: la geografia*; *Sopra e sotto*; *I nostri ricordi*; *Pallottoline*; *Una giornata*; e nei drammi: *Quando si è qualcuno*; *Diana e la Tuda*; *All'uscita*; *L'uomo dal fiore in bocca*; *Enrico IV*; *La nuova colonia*.

(103) *La trappola*: «la vita è il vento, la vita è il mare, la vita è il fuoco; non la terra che s'incrosta ed assume forma» (vol. I, p. 682).

(104) Specialmente nelle seguenti novelle: *La tragedia di un per-*

zione artistica pirandelliana rivivendo la relatività dello spazio e del tempo si stabilisce ed assume una realtà e vita propria tanto piú viva e vera, quanto l'uomo che l'ha creata è vivo e vero (105).

3. *Immortalità del personaggio*

La vita è affermata dall'arte, e la natura si serve della fantasia umana per affermare sé stessa in un modo piú perfetto e completo diventando perció piú viva nella sua nuova idealità essenziale. Il valore esistenziale della creazione artistica è presentato realmente e pienamente dal dottor Fileno nella novella *Tragedia di un personaggio* (1915). «Si nasce nella vita in tanti modi.... e la natura si serve dello strumento della fantasia per proseguire la sua opera di creazione. E chi nasce mercé questa attività creatrice che ha sede nello spirito dell'uomo è ordinato dalla natura a una vita di gran lunga superiore a quello che nasce dal grembo mortale di una donna.... Chi ha la ventura di nascere persona già viva può infischiarsi della morte» (vol. I, p. 717).

L'arte perciò infonde una vita immortale ai personaggi, tale tema si ripete con una costanza indiscutibile nelle opere di Pirandello; morrà lo scrittore, ma le sue creature rimarranno sempre vive, immortali nei secoli futuri. L'immortalità del personaggio creato dall'arte contrasta la mortalità degli esseri creati dalla vita. Moscarda ne è pienamente convinto e trova la soluzione nella comunione con la natura, che lo libera attraverso un'ascensione mistica.

---

sonaggio; *I nostri ricordi*; *Rimedio: la geografia*; *Sopra e sotto*; *Pallottoline*; *Una giornata*; e nei drammi: *All'uscita*; *Quando si è qualcuno*; *Enrico IV*; *Diana e la Tuda*; *La nuova colonia*; *L'uomo dal fiore in bocca*.

(105) Cfr. *Sei personaggi in cerca d'autore* e tra le novelle: *Colloquio coi personaggi* e *Tragedia di un personaggio*.

L'avventura d'identificazione con la natura che Moscarda vive ai limiti di un chiaro e indiscutibile misticismo si ripete in diverse novelle tra cui: *Canta l'epistola*; *Quando ero matto*; *Leviamoci questo pensiero* (106) (1928). «L'uomo è nella natura, è la natura stessa che pensa, che produce in lui i suoi frutti di pensiero, secondo la stagione anche essi, come quelli degli alberi effimero forse un pò meno, ma effimero per forza. La natura non può concludere, essendo eterna; la natura nella sua eternità non conclude mai, e dunque neppure l'uomo» (vol. II, p. 591). L'inconclusione della natura è perciò una realtà a cui il personaggio pirandelliano non può sfuggire e tale inconclusione si manifesta in Moscarda nell'«inconclusione della vita» ed egli cogliendone il segreto si libererà per sempre di ogni finitezza umana.

Il carattere particolare che la natura e la vita raggiungono produce una visione amara della vita e degli uomini ed a un certo punto Moscarda si sentirà per sempre denudato dagli altri e come «spogliato» (107) di sé stesso. Il perché si trova nel nulla che esiste fuori della vita. Avvertire il nulla della vita è vivere il mistero senza illusioni conoscendo sé stessi. Non c'è piú l'attimo fuggente che s'arresta ma un sentimento nuovo d'alienazione: «il venir meno della vita.» Ma Moscarda per una consistenza della propria personalità ritrova sé stesso nel mondo dell'arte e nell'illusioni e perciò persiste immortale. Nell'immortalità Moscarda incontra Dio e trova sé stesso e si sente «uno» con le cose e con gli uomini. Egli raggiunge la catarsi nella grande

---

(106) Bernardino Sopo protagonista della novella non comprende la vita che è profondamente oscura. Tutta la vita è per lui una sequela di pensieri da levarsi e conclude che tanto vale uccidersi, ma egli non può uccidersi e accetta la vita nella sua ordinarietà.

(107) Questo termine deve avere qual non so che di tragico e sacro perché Pirandello ne fa non solo uso in *Uno, Nessuno e Centomila* ma in altre opere tra cui *Sei personaggi* e *Quando ero matto.*

tragedia della vita umana e intuisce il senso vero dell'esistenza e del destino umano.

4. *Silenzio interiore*

Rivestirsi di una personalità nuova non è cosa facile per Moscarda che cerca di evadere e di annullarsi nella sua nuova identità cosmica prendendo le ali e volando come «un uccello.» Spiccare il volo è però impossibile e deve perciò crearsi un sistema di rapporto che spesso tocca altezze apocalittiche e dove il divino si incontra con l'umano e Vitangelo potrà finalmente vivere una vita sincera.

Prima d'arrivare alla profondità mistica dell'universo Moscarda passa senza dubbio attraverso un senso di colpa della natura e di equilibrio morale per cui egli viene purificato e lasciato in momenti di «silenzio interiore» e di «vuoto strano» che formano il flusso della vita. La rottura dell'equilibrio e dell'unità dà luogo a un senso di smarrimento ed a un pessimismo amaro e desolato (108). Il silenzio interiore che Moscarda ne deriva lo conduce al suo isolamento e alla sua alienazione e per questo è costretto a sollevare lo sguardo al cielo non senza essersi guardato prima nello specchio interiore della propria coscienza e del proprio spirito. La sua vita è tormento, disarmonia, e angoscia penché tutto il mondo è relativo, instabile e vano. Voler dare forma stabile ad una realtà che muta vuol dire vivere la vita della natura e dell'arte perché l'arte è la stessa natura nello spirito umano, che crea continuamente e spontaneamente per quella partecipazione infinitesimale alla vita dell'Essere Universale e della Natura.

---

(108) La base filosofica del romanzo può essere trovata nel saggio *Umorismo,* il codice artistico e critico dell'opera pirandelliana.

5. Il problema della morte (109)

Il vivere secondo natura diventa religiosità e vera vita. Moscarda cosí si sente non solo alla presenza di Dio ma «solo» e «tutto.» L'unica immortalità cosí trovata è immanente nell'universo e va ricercata attraverso la fede dell'uomo nella molteplicità esistenziale. La risposta, come l'uomo «che trascina in sé tutte le cose,» diventa molteplice. La molteplicità della vita universale comprende, però, anche l'umano ed in questa universalità si risolve il dramma di Vitangelo.

La vita dell'uomo, appunto perché sua, è cambievole e come tale non risolve la vana e disperata lotta di unità con l'Assoluto. Non trovando consolazione in essa, Moscarda ne è deluso e nella delusione si ferma e si paralizza nella propria volontà. Ma fermarsi è morire e rinunziare a vivere (110), ed egli perciò eroicamente decide di rialzarsi e afferma il proprio pensiero.

La trasfigurazione ontologica una volta operata trasforma Moscarda in un altro ed egli non si riconosce piú nel proprio io. Il proprio «io» essendo «vivo» contrappone l'irrazionale al razionale; il sentimento alla volontà e Moscarda non può piú accettare un sistema di vita del genere, una volta che ha abbracciato la vita dell'universo. L'unica immortalità che Moscarda comprende è l'eterno presente della vita (111). L'eterno

---

(109) Il problema morte è trattato nelle novelle: Se...; Marsina stretta; La casa dell'agonia; Il professor terremoto; Il chiodo; e nei romanzi: L'esclusa; Il Fu Mattia Pascal; I vecchi e i giovani; e nei drammi: All'uscita; Ciascuno a suo modo; Come prima meglio di prima.

(110) Tale atteggiamento appare nelle novelle: Pena di vivere cosí; La carriola; Vittoria delle formiche; Mentre il cuore soffriva; Filo d'aria; Dovere del medico; Tragedia di un personaggio; Leviamoci questo pensiero; e nei drammi: Il giuoco delle parti; Enrico IV; L'amica delle mogli; Vestire gli ignudi; Sei personaggi; Il piacere dell'onestà; Il berretto a sonagli; e nel romanzo Quaderni di Serafino Gubbio operatore.

(111) Cfr. i drammi Lazzaro e Non si sa come.

presente è Dio, a cui l'uomo appartiene, e che si manifesta nella natura circostante. Unirsi a Dio vuol dire morire alla vita di questo mondo. Ma la vera morte non avviene con la morte fisica, ma con il completo abbandono dell'uomo alla vita dello spirito universale, quando egli non sente piú il bisogno di fissare i momenti della propria esistenza.

La presenza di esso non è realizzazione della morte o indice di vita e cosí lo è pure la sua mancanza (112). La realtà della dialettica vita-morte (113) si verifica nella fecondità della vita e nel processo di trasformazione operato dalla «morte.» Il senso profondo di dissoluzione in una realtà sempre drasticamente condizionata è morte, accettata come suprema verifica della solitudine individuale. Moscarda sente la morte nella maestà distruttrice del sentimento, e nell'incontro con esso vede la vita che s'allontana.

Nel dialogo tra Anna-Rosa e Moscarda la dialettica vita-morte si pone in termini molto chiari: «quel cassetto era pieno di fotografie me ne mostrò tante, di antiche e di recenti. Tutte morti le dissi. Si voltò di scatto a guardarmi. — Morte? — — Per quanto voglion parer vive — — Anche questa col sorriso? — E codesta pensierosa; e codesta con gli occhi bassi — — Ma come morta, se sono viva qua, viva? — — Ah lei sí; perché non si vede. Ma quando sta davanti allo specchio, nell'atto che si rimira non è piú viva» (vol. III, pp. 1405-1406).

Quando si ferma la vita, anche solo per un attimo, «si muore,» Moscarda afferma con sicurezza. La vita bisogna lasciarla correre come «fluido malleabile» e non bisogna mai fermasi e contemplarla, perché «conoscersi è morire.» «Chi vive, quando vive, non si vede:

---

(112) Cfr. la novella *La camera in attesa.*
(113) Cfr. la novella *I pensionati della memoria.*

vive... se uno può vedere la propria vita è segno che non la vede piú... perché possiamo vedere e conoscere soltanto ciò che è morto. Conoscersi è morire. il mio caso è peggiore. Io non vedo ciò che di me è morto; vedo che non sono mai stato vivo... e grido... dentro a questa forma morta che non è stata mai mia... e ho nausea, orrore, odio di questo che non sono stato mai io» (114) (vol. II, p. 718). La nausea e l'orrore di questa consapevolezza sono perfettamente chiari a Moscarda per cui ogni forma è «morte.»

Fermarsi per ricevere una forma determinata significa essere presi non solo in trappola ma trovarsi per sempre staccati dal fluido della vita, infatti tutto «ciò che si toglie dallo stato di fusione e si rapprende in questo flusso continuo, incandescente, indistinto, è la morte... Abbiamo finito di morire. E questo abbiamo chiamato morte» (vol. I, p. 682). C'è qui una inversione semantica dei termini «vita» e «morte» e ciò che per l'uomo comune è semplicemente inteso diventa per l'uomo pirandelliano motivo di speculazione filosofica e origine di interessi etici.

Il cammino di Moscarda è stato lungo ma alla fine della propria vicenda può ricevere il meritato riposo. Le logiche conseguenze delle sue ricerche sono la riduzione dell'uomo a «statua» e una disperazione senza senso dovuta alla conoscenza. La continua dialettica del «vedersi vivere» è morte, e il tormento non solo di Moscarda ma di altri personaggi pirandelliani è appunto dovuto a questo fattore.

La conoscenza del mondo interiore è la morte che bisogna temere. L'osservazione aproblematica della natura è invece pace, riposo e vita al di là di ogni tran-

---

(114) La citazione è della novella *La carriola* ma tale pensiero è condiviso nella medesima forma di espressione, di stile e di contenuto nella novella *La trappola* e nel romanzo *Uno, Nessuno e Centomila.*

seunte aspetto della realtà umana. Le considerazioni di Moscarda maturano attraverso la coscienza, che osserva il costante duello vita-morte nell'atto finale e totale dell'umana esistenza. «E l'arte è nuova. È tutto, attimo per attimo, è com'è, che s'avviva per apparire. Volto subito gli occhi per non vedere più nulla fermarsi nella sua apparenza e morire. Così soltanto io posso vivere, ormai» (vol. III, p. 1416).

Rinascere di attimo in attimo ed evitare che il filosofare di prima possa di nuovo interrompere questa opera di rigenerazione spirituale vuol dire ricreare «il vuoto delle vane costruzioni.» La morte fisica non preoccuperà più Moscarda perché ha ormai trovato la strada che lo conduce al fin dell'uomo e non ha più bisogno perciò di pensare o pregare. Egli ha trovato la sua soluzione al problema della personalità molteplice: l'adesione mistica alla natura per cui egli morendo vive non più in sé «ma in ogni cosa fuori.»

F. ASPETTI ESISTENZIALI

Il problema filosofico in Pirandello è parte della sua opera artistica, come egli stesso ha riconosciuto nella introduzione al dramma *Sei personaggi in cerca d'autore.* Molti sono già stati gli studi al riguardo soprottutto in relazione agli influssi ricevuti «dai greci a Cartesio, da Kant a Bergson, da Fichte a Schopenauer» (115), nel contrasto vita-forma, che è il nucleo centrale dell'arte pirandelliana. Allo stesso modo è stata indagata l'angoscia e il tormento in cui si dibattano i suoi vari drammi e i suoi personaggi.

La fusione tra arte e filosofia che si sviluppa nella

---

(115) Vera Passera Pignoni, «Luigi Pirandello e la filosofia esistenziale,» *Atti del congresso internazionale di studi pirandelliani,* selci Umbro, 1967, p. 853.

sua opera e soprattutto in *Uno, Nessuno e Centomila*
conduce necessariamente alla considerazione degli
aspetti esistenziali alla base del romanzo. Non si tratta
di esaminare qui l'esistenzialismo come corrente filosofica, perché i canoni di essa appaiono sulla scena italiana solamente dopo la seconda guerra mondiale, ma
di rilevare quegli aspetti che sono comuni con la filosofia esistenzialista (116).

L'opera di Pirandello come l'esistenzialismo è un
prodotto della crisi dei tempi e come tale è facile ri-
scontrare nell'avventura di Moscarda la problematicità
esistenzialista. Nel dualismo vita-forma del romanzo è
riconoscibile il dualismo heideggeriano di essere-esiste-
re. Heidegger descrive con molta acutezza l'esperienza
della finitezza e contingenza umana. La conoscenza di
questa finitezza può solamente essere un punto di partenza perché l'uomo deve aprirsi all'affermazione del-
l'Infinito, solo questa affermazione può giustificare il
perché dell'uomo (117).

In questa visione Moscarda è concepito come indi-
duo microcosmico, venuto dal Nulla e ritornante al
Nulla, chiuso in sé ed irrepetibile. La sua esistenza è
perció aperta all'Essere da cui deriva e a cui deve ritornare. Egli sente drammaticamente la reciprocità
dell'ESSERE e il NULLA, tra nascere e morire, soprattutto nello scoprire la realtà attraverso i suoi atti.

L'«angoscia» domina Moscarda chiuso nel dramma
della possibilità e della scelta. Per questo egli s'allontana nella propria esperienza dalla società per divenire
uomo di decisione e di autocontrollo e per acquistare
consapevolezza delle proprie azioni. La visione filosofica del protagonista matura dal concetto pirandelliano
che la vita è un gran flusso malleabile, a sua volta so-

---

(116) Cfr. Federico Italia, op. cit., p. 96.
(117) Emilia Mirmina, *Pirandello novelliere*. Ravenna, 1973,
pp. 64-65.

lidificato da una forma, che uccide nelle sue spire la sostanza della vita (118).

La vita si muta in morte e ciò che è morte non è altro che vita. Qui è il centro dell'esistenzialismo pirandelliano, chiaramente espresso in *Uno, Nessuno e Centomila* (119), dove Moscarda soffre nella gelida certezza delle cose ormai accettate come ineluttabili dalla propria mente. Il dolore causato da questa esperienza è sofferenza intima e spinge Moscarda a cercare nell'amore e nella comunione con la natura la soluzione dell'assurdo a dell'irrazionale (120). La vita cosí vista è richiamo ideale dell'umano, infatti l'uomo è inteso come essere finito e contingente. Si trovano qui i temi e le idee di Jaspers (121) e Marcel, ambedue convinti della finitezza e contingenza umana, ma aperti, specie Marcel, verso una forma di comunione con la divinità attraverso la natura e l'esperienza vissuta.

---

(118) Cfr. Federico Italia, op. cit., p. 94.

(119) Gilbert Bossetti, *Pirandello*. Paris, 1971, p. 96. «L'angoisse de Vitangelo Moscarda préfigure l'existentialism. *Cent mille*, c'est la somme de nos faits et gestes incoherents, d'où le sentiment d'absurdité de nos existence; *Personne*, c'est la nullité de l'être hors de ses multiple realisations, la négation de l'essence, de la nature humaine; *Un*, c'est malgré tout la conscience malheureuse de notre identité, conscience illusoire d'une unité personelle qui est la source même d'une angoisse métaphysique.»

(120) Federico Italia, op. cit., p. 92. «Il personaggio pirandelliano è essenzialmente in balia dell'irrazionale e di un determinismo a cui non può sfuggire, come il personaggio di Kafka è soggetto a un sentimento di colpa che non può decifrare. Egli si oppone alla concezione pirandelliana, la vita è un composto di conscio e inconscio, di razionale e di irrazionale, inteso in modo che l'irrazionale ha il predominio e vince. In queste condizioni il sentimento della vita non è altro che un tormento, quasi un rimorso vitale che grida contro il determinismo trionfante. Pertanto anche l'esistenza umana, quale ci è presentata da Pirandello, è limitatissima. Si presenta anzi piuttosto come un tronco della esistenza — che sente soltanto di essere tronco — senza frutti.»

(121) Cfr. Federico Italia, op. cit., p. 19.

9

Nascere è un fatto. Nascere in un tempo anziché in un altro... e da questo o da quel padre... fatti... tempo, spazio, neccessità. Sorte, fortuna caso; trappole tutte della vita. Volete essere? C'è questo. In astratto non si è. Bisogna che si intrappoli l'essere in una forma, per alcun tempo, si finisca in esso, qua e là cosí. E ogni cosa, finché dura, porta con sé la pena della forma, la pena d'essere cosí e non poter essere altrimenti. Lo sgomento delle necessità cieche delle cose che non si possono mutare; la prigione del tempo, il nascere ora e non prima e non poi, il nome e il corpo che ci è dato; la catena delle cause; il seme dell'uomo, suo padre senza volerlo; il suo venire al mondo in quel seme; involontario frutto di quell'uomo; legato a quel ramo; espresso da quelle radici (vol. III, pp. 1327-1334 passim).

La forma è tutto ciò che appare e si oppone alla vita e alla mutabilità dell'esistere e alle varie possibilità dell'essere (122). Il fatto stesso di esistere in un determinato tempo e spazio limita l'uomo nella angoscia della propia condizione senza possibilità d'uscita. Da qui l'angoscia piú profonda di Moscarda paragonabile all'angoscia dell'uomo di Heidegger. Vitangelo vive nella temporalità del presente, ma è legato al passato attraverso una forma di schiavitú che è noia e indifferenza di quello che sarà il futuro.

---

(122) Filippo Puglisi, *L'arte di Luigi Pirandello*. Firenze, 1958, pp. 105-106. «Che siamo noi dunque? Dei morti affaccendati. Ci dibattiamo per evadere, per fuggire dal loculo, dalla bara in cui siamo stati calati, ma pur sempre ne cerchiamo la liberazione, vi restiamo presi, appunto perché essa è parte costitutiva del nostro essere, e al di fuori delle sue mura noi non solo non possiamo aver vita, ma non possiamo neppure trovar posto. La forma è la nostra prigione e pur la ragione della nostra esistenza. L'aria resiste al volo della colomba kantiana e tuttavia lo garantisce, cosí la forma si oppone alla libera espansione del nostro io eppure ne è la garanzia. Vivere non possiamo pertanto che come prigionieri della nostra forma, che come morti e imbalsamati. È una tesi, come si

Posto in una situazione non voluta Moscarda rea-
lizza che gli manca una libertà iniziale per superare
e passare al di là del suo stato. Acquistata la consapevolezza del Nulla egli emerge dalla temporalità e raggiunge l'autenticità. I suoi sofismi sono una testimonianza della sua scoperta e del suo «naufragio» (vol.
III, p. 1421) finale verso la morte. Purtroppo egli non
è sempre cosí eroico e vive preoccupato di questo o
quell'oggetto e della problematicità della vita.

> Quando un atto è compiuto, è quello; non si can-
> gia piú. Quando comunque, uno abbia agito, anche
> che poi si senta e si ritrovi negli atti compiuti, ciò
> che ha fatto resta, come una prigione per lui...
> come spire e tentacoli si avviluppano le conseguen-
> ze delle vostre azioni. E come potrete piú liberarvi
> (vol. III, pp. 1333-1334).

L'uomo vive nel tempo ed ogni atto lo lega al finito
della vita. Gli atti possono essere a loro volta razionali
o irrazionali e come tali sono fonte di noia e di nausea.
La noia trova origine nel fenomeno o nelle illusioni,
ma Moscarda a differenza di quanto avviene in Sartre (123) non capisce in termini esistenziali il fondamento che le illusioni cd i fenomeni pongono alla base
della realtà.

---

vede, messa a nuovo: ci scorgi alla base Eraclito con la vita para-
gonata ad un fiume che fluisce senza tregua, ci senti sotto Jaspers
con il suo «Sein» e il suo «Dasein.» Piú che essere, noi siamo esserci,
«Dasein,» e non possiamo uscire fuori dalla vagina della nostra
costruzione, della nostra particolarità per attingere l'assoluto nella
sua universalità. Nostro destino è affacciarci all'essere, all'infinito,
tendere ad esso, ma restare nel chiuso della nostra misera forma,
perché all'essere senza esserci non si può aspirare.»
   (123) Cfr. Federico Italia, op. cit., p. 19. «Da questo punto di
vista Pirandello si differenzia dagli scrittori che sono agitati dallo
stesso problema. Mentre il nostro, riconosciuto il fatto dell'impossibilità delle relazioni personali, si sforza di determinare le cause,
altri, come Sartre, si limitano a presentarci semplicemente delle si-

Tutta la vita di Moscarda è dominata da atti irrazionali antecedenti ogni riflessione e dove la libertá è spesso condannata in una desolazione infinita. Questo tema angoscioso è il piú squisitamente esistenziale e si ritrova in Pirandello esposto nella relatività umana dell' esistenza di Moscarda, il quale comprendendo che la libertà è essenza della vita dell'uomo cerca di vivere continuamente opposto all'angoscia della disperazione, del vuoto e della propria esistenza sensa senso; egli crea per sé stesso un problema che non può normalmente risolvere.

Nel dramma esistenziale Moscarda scopre che la verità non è assoluta e che bisogna trovarla, perciò decide di cercare solo quella parte che è comprensibile e raggiungibile. Allo stesso modo capisce che la vita non è altro che una realtà che gli viene data, momentanea e illusoria. Il vertiginoso relativismo della vita si muta in queste circostanze in divenire psicologico e la realtà si risolve nell'io e l'io è la realtà. Per questo Moscarda vive la vita e non la spiega. La vita non bisogna discuterla ma sentirla dentro e viverla.

La vita è inoltre contatto con la natura. Contatto necessario, che presenta il problema di Dio, di cui Pirandello sente cosí acutamente l'esigenza, specie nelle ultime opere della sua vita. Il Dio scoperto attraverso Moscarda è «Dio di carità di cui gli uomini hanno bisogno per sopportare la vita, un Dio fondato sulla natura, che comprende tutto il creato e per cui sopravvive l'anima individuale, ma si crea una immortalità

---

tuazioni umane in cui domina la solitudine e l'incomunicabilità: in questi c'è immobilità, in Pirandello movimento. Altri, come Moravia, credono sia possibile la comunicazione, la comprensione degli altri, ma falliscono il tentativo perché vogliono cogliere l'essere altrui attraverso l'erotismo e la semplice esperienza sessuale, come appare soprattutto nel romanzo *La noia*.»

non nostra, senza speranza di premio o temore di ca-
stigo» (124).

È questa l'ultima speranza di Moscarda, e con lui
di gran parte dei personaggi pirandelliani. In essa egli
cerca e trova una sconosciuta libertà ed una improvvisa liberazione. Pirandello porta perciò una pacifica-
zione nuova ed interiore al personaggio e introduce
quelli che saranno i temi e le caratteristiche delle sue
creature negli anni successivi. Moscarda non plasma
sé stesso e sebbene cerca di realizzare una propria
struttura è costretto ad immergersi nel divenire universale quando coglie la spontaneità dello spirito. Ciò
non toglie che nel romanzo appaiono i temi piú vivi
dell'esistenzialismo: la solitudine, l'aspirazione all'Assoluto, l'ansia all'autenticità.

Per l'adesione di Moscarda ad un dinamismo con-
trassegnato dal ripetersi della scelta e di situazioni
sempre nuove e banali Pirandello ha la coscienza della
posizione dell'uomo sospeso tra l'assoluto ed il mondo.
Attraverso Moscarda egli capisce chiaramente che deve
operare una chiusura al mondo e alle sollecitudini
terrene per aprirsi all'Essere. La negatività di questa
dialettica d'apertura del singolo ha la sua origine nel-
l'esistenza e la sua comprensione è nelle situazioni in
cui l'uomo si trova quando conduce e valorizza la propria personalità.

---

(124) Vera Passera Pignoni, op. cit., p. 861.

CAPITOLO TERZO

A. IL PROBLEMA STILISTICO DEL LINGUAGGIO

Lo studio della lingua e dello stile di Pirandello in *Uno, Nessuno e Centomila* presenta delle caratteristiche particolari perché Pirandello presenta nel romanzo «l'essenza delle cose» dal «di dentro» e i concetti piú intimi della sua anima. Afferma Pirandello stesso «un ingegno senza individualità non è vero ingegno. E lo stile vuol dire individualità, modo proprio di pensare, di sentire, di esprimere: ha stile insomma chi ha cose proprie da dire e sa dirle in modo proprio, con una maniera, con un atteggiamento affatto personale, che può anche essere non bella» (vol. VI, p. 1225).

L'esigenza di individualità rende Pirandello uno scrittore spontaneo e pieno di naturalezza e capace di stabilire un colloquio vivo e vero col lettore. *Uno, Nessuno e Centomila*, forse piú delle altre opere dello scrittore siciliano ha questo carattere di spiritualità intima e personale come il figlio Stefano attestò nell'introduzione al romanzo su *Fiera Letteraria*. Inoltre, questo romanzo a parere del Giacalone è «indubbiamente il piú conclusivo degli altri romanzi, quello che piú chiaramente ne fissa la poetica, chiarisce il mondo morale e psicologico del Pirandello e scarnifica il suo stile fino alla piú estrema essenzialità delle cose e dei problemi. In questo romanzo Pirandello fa la piú alta prova del suo stile, secondo cui la tensione narrativa dalla osservazione analitica e razionale dei vari casi e delle varie situazioni mira dritto alla costruzione emblematica, oggettiva del personaggio e nello stesso tempo della sua scomposizione psicologica» (1).

Leggendo *Uno, Nessuno e Centomila* la prima cosa che risalta è l'urto tra reale ed ideale nella vicenda di Moscarda. Nell'urto la lingua usata è quella quotidiana che si parla a casa a tu per tu con gli amici. Infatti non c'è miglior mezzo della «lingua parlata» (2) per esprimere i concetti che Pirandello vuol presentare. Nella narrativa del romanzo si sente lo sforzo di Pirandello per una forma viva di espressione, che sia capace di rendere attuale il dramma del personaggio. Il linguaggio del romanzo presentando e seguendo il dramma di Moscarda diventa ricco, funziona come la mente che pensa, di cui ne rende i concetti, indietreggia e avanza scoprendo a nudo i sentimenti del cuore puri e impuri, forti e tenui allo stesso tempo. Lo strumento linguistico atto a far vivere e manifestare queste tendenze si trova nel dialogo frequentemente usato nel romanzo.

Pirandello in *Uno, Nessuno e Centomila* ha espresso in modo particolare il dramma della propria vita artistica per la scoperta di un nuovo stile che si uniformasse all'incessante processo del suo spirito. Egli passa attraverso la poesia e la narrativa per arrivare al teatro e *Uno, Nessuno e Centomila* si trova in mezzo al processo di trasformazione e contiene in sé una gamma ricca di vari colori e di elementi, usati come una tastiera per produrre una prosa frastagliata e duttile allo stesso tempo.

---

(1) Giuseppe Giacalone, *Luigi Pirandello*. Brescia, 1969, p. 192.
(2) Antonio Gramsci, *Letteratura e vita nazionale*. Torino, 1952, p. 49. «A me pare che Pirandello sia artista proprio quando è dialettale.»

La ricerca della lingua da parte di Pirandello spesso si confonde nel romanzo con la ricerca interiore di Moscarda e poco spazio è lasciato ad elevazioni retoriche. Nella descrizione dei personaggi e del paesaggio Pirandello spesso preferisce essere laconico, quasi allo stesso modo delle didascalie teatrali, ciò richiede una collaborazione da parte del lettore. In un unico e ricco repertorio di sillogismi, antinomie e schemi ironici, Pirandello offre tra l'altro la visione del disagio morale in cui la piccola borghesia del tempo di una città di provincia si trova.

Pirandello che aveva già notato il corrompersi di alcune forme della vita tradizionale, preferisce cogliere, attraverso Moscarda, gli aspetti ideali della realtà e nella finzione di una situazione etica stabilisce un rapporto morale tra coscienza individuale e il disintegrarsi della vita quotidiana al di fuori della storia (3). Per questo motivo la crisi di Moscarda è attuale al momento presente come lo era cinquanta anni fa e il lettore contemporaneo sicuramente può riflettere in sé stesso l'unità spezzata, la dignità umiliata che il personaggio pirandelliano è capace di suscitare.

Il merito della freschezza del personaggio Moscarda sicuramente è attribuito alla lingua di Pirandello. Il fatto linguistico di Pirandello esprime certamente un incomunicabile linguaggio personale, come dice uno dei *Sei personaggi*, e precisamente il padre al capocomico: «abbiamo tutti dentro un mondo di cose; ciascuno un suo mondo di cose! E come possiamo intenderci, signore, se nelle parole che io dico metto il senso e il valore delle cose come sono dentro di me; mentre chi le ascolta, inevitabilmente, le assume col senso e col valore che hanno per sé, del mondo come egli

(3) Cfr. Luigi Ferrante, «La poetica di Pirandello,» *Atti del Congresso internazionale di studi pirandelliani*. Selci Umbro, 1967, pp. 371-378.

l'ha dentro? Crediamo d'intenderci, non ci intendiamo mai» (4).

Questo discorso vale anche per *Uno, Nessuno e Centomila* e Moscarda diverse volte, infatti, si scoprono nel romanzo le parole: «valore,» «senso» e «intenderci.» Moscarda perciò condivide nel suo linguaggio caratteristiche comuni ad altri personaggi pirandelliani. Egli come il padre della commedia *Sei personaggi* intende di non intendersi con gli altri nella propria molteplicità espressiva.

Per Pirandello, in definitiva, non ci dovrebbe essere altro epilogo che il silenzio (5) e Moscarda raggiunge tale traguardo nella identificazione mistica delle ultime pagine del romanzo. In *Uno, Nessuno e Centomila* si trova la spontaneità assolutamente nuova della emergenza individuale di Moscarda e della permanenza oggettiva della società attorno. Per capire e dare ragione a questa realtà bisogna guardare alla espressione linguistica di Pirandello, alla sua lingua come fatto istituzionale e al suo linguaggio come atto personale e creativo.

«C'è oggettività nella sua lingua e c'è soggettività; oggettività che nasce dalla scuola, e che si manifesta soprattutto nell'imitazione dei suoi primi componimenti, quella che viene fuori dalla moda del tempo e che lo porta a guardare, sulle orme e per incitamenti del

_____

(4) Filippo Puglisi, *Pirandello e la sua opera innovatrice*. Catania, 1970, p. 32. «Resti isolato, come il padre nei *Sei personaggi*.... o Vitangelo Moscarda in *Uno, Nessuno e Centomila*, che non riescono a comunicare con la figliastra rispettivamente, con la moglie, e non perché parlino una lingua diversa usata da coloro con cui conversano, ma per la semplice ragione che «nelle parole che noi diciamo — osserva il primo — mettiamo il senso e il valore delle cose come sono dentro di noi, mentre chi le ascolta, le ascolta col senso e il valore che hanno per sé, del mondo com'egli l'ha dentro,» per cui, parlando, precisa il secondo, «non sappiamo mai come si traduce negli altri quel che diciamo noi.»
(5) Filippo Puglisi, *Pirandello e la sua lingua*. Bologna, 1962, p. 171.

Verga, del Capuana in special modo, alla sua terra, a frammezzare la sua espressione di idiotismi siciliani; la soggettività che si manifesta massimamente nel gusto della parola appropriata, anche se vecchia, inusitata nella ricerca della frase svelta, concitata, del periodo breve, a scatti, che dia la sensazione del movimento con le sue interruzioni e le sue riprese, nella tendenza al dialogo, tutt'altro che lineare, magari composito, ma bene adatto a rendere la dialettica della vita» (6).

1. *Lingua e parola* (7)

In *Uno, Nessuno e Centomila* la lingua tendendo a dare un'impressione di movimento attraverso la narrazione, in una foga mai conosciuta, sembra identificare il pensiero con la vita. Le azioni di Moscarda sono perciò espresse con parole atte a descrivere la realtà del protagonista trasformata nella vita universale per una esigenza interna di ricerca dell'essere. Pirandello forza la lingua (8) al suo genio creatore e sgancia da essa la parola per riscardarla col suo alito e sollevarla al livello dell'arte con caratteri che la distinguono. Sotto questa luce il linguaggio del nostro scrittore di-

---

(6) Ibi., op. cit., p. 20.

(7) Filippo Puglisi, op. cit., p. 32. «Gli è che la parola non è soltanto un composto di sillabe e di suoni, è anche, per non dire soprattutto, concetto, il quale — e qui sta il punto — non è uno per tutti, ma varia col variare degli individui, dello stato d'animo anzi di uno stesso individuo, per cui una parola che ha un significato per uno ne ha un altro per un altro, non solo ma che significa una cosa per uno in un dato momento assume per il medesimo soggetto un significato diverso in un altro momento a secondo delle condizioni in cui si viene a trovare.»

(8) Ibi., op. cit., p. 33. «Si sgretola ogni cosa per Pirandello, anche la lingua, quella che non si riduce a un complesso fonico o grafico almeno, e i rapporti comunque essi siano, associativi o sintagmatici, restano campati nel vuoto, senza un legame di necessità che li avvinca, simili a sfilacci di nebbia vagono a volte

venta positivo ed interpreta la realtà con termini precisi e chiari. L'imprevedibilità dei sentimenti umani ha un posto particolare nel romanzo ed è chiaramente espressa attraverso la immediatezza e velocità di parole e tempi verbali appositamente scelti (9): «poi mi porse la pelliccia perché gliela reggessi. Gongolai. Ma Dida scorse nello specchio il mio sorriso. Ah ridi?» (p. 1296). «Ma sí! Guarda — gli gridai — cosí. E toccai con la fronte il pavimento» (p. 1355). «Serrai i denti. Mi scrollai. Pensai con rabbia» (p. 1393). «Starnutò» (p. 1369). «Fu un baleno. Ritornó il buio» (p. 1393). «Strabiliai» (p. 1397). «Restai biasito» (p. 1411).

Gli esempi or ora scelti indicano come la successione di azioni espresse al passato remoto siano capaci di produrre un effetto di immediatezza. L'impressione che spesso si ottiene è quella di un effetto totalmente raggiunto, specialmente se Pirandello si ferma solamente al verbo senza aggiungere altro: «Starnutò — Trasecolai — Scattai — Protestai — Trasecolavo — Farneticavo.» Altre volte Pirandello modifica l'azione con l'aggiunta di un oggetto o di un complemento e niente di piú. «Aprii gli occhi — Serrai i denti — Me le guardai — Scattai di nuovo — E uscii di nuovo — Balzai in piedi — Mi prese come una vertigine» (pp. 1370-1393 passim). La compiutezza dell'azione viene espressa qualche volta dall'uso del participio passato. «Tutto determinato, tutto stabilito, all'incontro della storia:

nell'aria alla rinfusa.» Cfr. anche Filippo Puglisi, op. cit, pp. 169-171 passim. «Forza la prosa, Pirandello, la muove, la spinge, la costringe a presentarti l'una immagine dopo l'altra, presto, come si fa al cinema, per darti l'impressione del movimento; leva gli ostacoli, cianfrusaglie, corre diritto alla scena centrale, passa al teatro, sveltisce il dialogo, lo spezza, gli dà un ansito, una fuga ch'esso non aveva mai conosciuto, lo rende leggiero, veloce, con uno scatto nuovo, possente...., ma il pensiero, con cui la fede si identifica, è ancora piú veloce.»
(9) Le citazioni in questo capitolo provengono dal volume III, *Tutti i romanzi* delle *Opere* dell'edizione Mondadori.

per quanto dolorose le vicende e tristi i casi; eccoli lí, ordinati, almeno, fissati in trenta, quaranta paginette di libri; quelli lí» (pp. 1348-1349). «Intesi — Mandato via — Realtà passate» (pp. 1334-1349 passim).

Se alle espressioni accennate precedentemente vengono paragonate pagine e frasi senza verbo si sente piú forte che mai lo sforzo di Pirandello nell' avvinicarsi ad una immediatezza espressiva che ha le tendenze della prosa e della poesia moderna dal futurismo in poi: «Strada. Strada. Strada brecciata; e attenti alle scaglie» (p. 1312). «Pazzie per forza» (p. 1323). «La mosca, e il dispetto del suo aspro fastidio ronzante» (p. 1323). «Un uomo cosí e basta. Nella vita» (p. 1324). «Ah, che scoperta! Mio padre. La vita di mio padre (p. 1325). «Tempo, spazio, necessità. Sorte, fortuna, casi, trappole tutte della vita» (p. 1332). «Nessuno imbarazzo nè per l'uno nè per l'altro» (p. 1338). «I tegoli di quel tetto, il legno verniciato di quelle imposte di finestra, quei vetri per quanto sudici: immobile calma delle cose inanimate» (pp. 1357-1358). «Anna-Rosa, quella voce, quel parlatorietto, quel buio, il verde dell'orto» (p. 1393). «Voglio che tu mi faccia subito gli atti. Lo sfratto immediato. Il padrone son io. E comando io. Voglio poi l'elenco delle case, con gli incartamenti di ciascuna. Dove sono? Parole chiare. Domande precise. Marco di Dio. Lo sfratto. L'elenco delle case. Gli incartamenti» (p. 1357).

L'immediatezza espressiva che si nota in questi esempi specie l'ultimo indica in modo inequivocabile ciò che avviene nell'animo di Moscarda. Il protagonista trova la propria vicenda terrena identificata col dramma della vita e la vita è vista nell'immagine del flusso malleabile in cui Moscarda è spinto dal sentimento e frenato dalla ragione. Il suo animo è combattuto dalla foga del cuore che lo sforza ad agire e parlare e dalla riflessione che taglia le ali ai suoi slanci e gli consiglia di tacere.

Il lettore, nel susseguirsi di questa dialettica tra silenzio ed assiduo dialogare e parlare, è chiamato a contemplare attraverso la successione dei fatti il logico filo del pensiero di Moscarda in una velocità che a volte richiama quella della mente al momento della formazione dei concetti. L'immediatezza della mente nel formare i concetti presenta dei problemi di espressione linguistica soprattutto quando Pirandello vuol esprimere il pensiero di Moscarda. In questa situazione egli passa dalla concitazione e dall'immediatezza dell'espressione ad un'espressione troncata a metà e marcata spesso dai gesti che accompagnano il discorso. Pirandello si serve della freschezza dell'espressione troncata per esprimere la brevità del pensiero, della frase rotta e concitata per esprimere una realtà contorta e impacciata; per presentare alcuni esempi: «Dunque, niente, questo» (p. 1300). «voi stesso, come» (p.1303). «Ma sí» (p. 1303). «Ma come? Cosí, cosí, perfettamente» (p. 1309) e con questi una serie infinita di «Ma come? — Ma che — E come — E allora — No — No, nessuno — Gusti»; e tante altre espressioni simili e modi di dire che non solo sono simili ma appartengono alla parlata del popolo.

Pirandello appunto per questa immediatezza espressiva è capace di presentare gli stati d'animo piú «ingarbugliati,» come del resto l' avventura di Moscarda vuol dimostrare, nell'incertezza delle scelte e nella accettazione della forma. L'effetto raggiunto è quello di una velocità intrinseca all'azione soprattutto se si considerano espressioni che racchiudono ed esprimono un moto continuo e progressivo. I tempi verbali per produrre questo effetto sono l'imperfetto indicativo e l'infinito presente: «Restare in compagnia di voi stessi, senza alcun estraneo attorno» (p. 1291). «Ma quando mai? Trasecolavo? Che cosa?» (p. 1319). «Mutilare la montagna, tagliare gli alberi per costruire le case» (p. 1314). «Lo amava cosí, carino, sciocchino. E lo amava

davvero» (p. 1320). «Diventavo uno. Io. Io che volevo
cosí. Io che ora mi sentivo cosí. Finalmente.... Farneticavo. Ma io? Uno, uno, chi?» (p. 1383). «Cadeva ogni
orgoglio.... Parlare per non intendersi» (p. 1407).

> Ai piedi del suo letto, con un aspetto a me ignoto,
> e a lei impenetrabile, io stavo lí, naufrago nella sua
> solitudine; e lei nella mia, là davanti a me, sul letto,
> con quegli occhi immobili e lontanissimi, pallida,
> un gomito sul guanciale e il capo arruffato e sorretto
> dalla mano (p. 1407).

> Mi sentivo come inebbriato vaneggiare in un vuoto
> tranquillo, soave di sogno.... Ah, perdersi là, disten-
> dersi abbandonarsi, cosí tra l'erba, al silenzio dei
> cieli, ampirsi l'anima di tutta quella vana azzurrità,
> facendovi naufragare ogni pensiero, ogni memoria
> (pp. 1311-1312).

La progressività delle azioni precedenti presentate
come esempio rende piú chiaro che mai lo sforzo in-
trapreso e raggiunto da Pirandello per stabilire delle
caratteristiche che siano allo stesso tempo velocità e
ripresa. A volte Pirandello raggiunge l'effetto voluto
anche in brani meno veloci e pesanti per una aggettivazione costante e presente in essi, come nel capitolo
terzo «Parlo con Bibí» del libro quinto.

> Seggo su una di queste pietre; guardo il muro
> che para alto, bianco, stagliato nell'azzurro, della
> casa accanto. Rimasto scoperto, senza una finestra
> tutto cosí bianco e liscio, quel muro, col sole, che
> ci batte sopra acceca. Abbasso gli occhi qua nell'om-
> bra di questa erba vana, che respira grassa e calda
> nel silenzio immobile, fra un brusio di insetti mi-
> nuti; c'è un moscone fosco che mi dà addosso, ron-
> zante, irritato dalla mia presenza; vedo Bibí che si
> è seduta acculata davanti coll'orrecchie ritte, de-
> lusa e sorpresa, come per domandarmi che siamo

venuti a fare qua, in un luogo che non s'aspettava,
ove tra l'altro... ma sí di notte, qualcuno passando...
Sí Bibí — le dico — Questo puzzo... lo sento, ma
mi pare il meno lo sai? Che possa ormai avvenire
agli uomini, è di corpo, peggio quello che esala dai
bisogni dell'anima (p. 1367).

Il brano presenta degli aggettivi in numero consi-
derevole, tale caratteristica si ripete piú volte nel romanzo. All'inizio del brano sembra aver di fronte a noi
una didascalia teatrale che dà tono al racconto successivo ma a guardare bene per la minutezza dei particolari che risaltano dal brano c'è anche una indetermina-
zione espressiva che attenua l'armonia dei colori come
se Pirandello stia accarezzando in un modo consueto
la delicatezza del proprio fantasticare (10).
La richezza degli aggettivi del brano è considere-
vole: il muro è «alto — bianco — stagliato — liscio.»
L'erba è «vana — calda — grassa.» Il moscone è «fosco — irritato.» Bibí è «delusa — sorpresa — acculata.» Tutti questi aggettivi producono un senso di finitezza e compiutezza nella descrizione dei particolari
soprattutto se si tengono in considerazione i vari elementi che modificano l'azione ed il svolgersi di
essa (11). Il sole che è ancora accecante quando si riflette sul muro bianco forse di calce. Passando dalla

---

(10) Benvenuto Terracini, *Analisi stilistica. Teoria. Storia. Problemi*. Milano, 1966, p. 337.
(11) Basterà ricordare qui alcuni degli aggettivi e verbi di
valore espressivo che si notano in una lettura attenta delle novelle
e di *Uno, Nessuno e Centomila*. Cfr. Oreste Allavena, *Pirandello
dalla narrativa al dramma*. Savona, 1970. «Raffagottato, ingrugnato,
disaiutato, sperticato, sbronzolato, irruvidito, scarduffato, infoscato,
inteschiato, incavernato, cimentoso, ovato, cirtoso, cineruleo, alido,
citrino, rassegnato, strabo, inciprignire, infrociarsi, abbrezzare, smu-
sare, scorsare, sguagnolare, accularsi, vacellare, stolzare, raffibbiare,
razzare, sfinconarsi, rassegnare, rugliare, affierarsi, aggriciarsi, stron-
fiare, bersicare, arrangolare... etc...» Cfr. anche Ettore Mazzali, *Luigi
Pirandello*. Firenze, 1973, pp. 101-103.

luce all'ombra si sente come uno sforzo di trasferimento e di riflessione fa diventare ciò che era determinato, indeterminato «Tra un brusio d'insetti minuti,» «in un luogo che non s'aspettava... ove tra l'altro,» «ma sí di notte, qualcuno, passando.»

Dopo aver descritto con minutezza di particolari il posto dove Moscarda s'era andato a sedere e a rifugiarsi, Pirandello riprende immediatamente il racconto con una sua conversazione tra il protagonista e la cagnetta che s'era seduta acculata di fronte al proprio maestro. La narrazione che segue questo breve dialogo è solo raffigurativa ma sembra staccarsi dal testo per diventare reale in una forza capace di ricostruire l'immagine e il sentore del «puzzo» proveniente dal corpo umano. Tale realtà è ancora attuale al giorno d'oggi in vari paesi del meridione italiano e Pirandello la tratteggia con termini precisi e concisi allo stesso tempo. Egli infatti partecipa con slanci ed impressioni spontanee alla vicenda dei suoi personaggi e la attenta scelta del frasario non è casuale ma profondamente viva per la problematica che presenta.

Come i problemi di Moscarda il linguaggio del romanzo è spesso contorto e duro e Pirandello cerca una via d'uscita attraverso la ripetizione di frasi a volte di concetti, ma spesso anche di parole. Un posto particolare in questa tecnica stilistica va riservato al raddoppiamento di aggettivi, forme verbali o semplicemente di parole: «Azzurri, azzurri, ... giú, giú la giacca» (pp. 1312-1313). «Terra. Terra... Pazzo. Pazzo. Pazzo» (p. 1362). «Ah inconfessabile, inconfessabile» (p. 1364). «Rifiuto, rifiuto. Ah sí, rifiuto? Bibí rifiuti?» (p. 1370). «Perduto, perduto, perduto, per sempre... libero, libero» (p 1361). «Oh bella, oh bella, oh bella» (p. 1376). «Che bella cosa. Che bella cosa» (p. 1376). «Voglio. Voglio. Voglio» (p. 1379). «Ma sí pazzie, pazzie, tutte pazzie, tutte pazzie» (p. 1397).

Il raddoppiamento delle parole rende spesse volte

10

piú acuto il problema della scelta e della dialettica interiore di Moscarda. Altre ripetizioni si verificano spesso nel romanzo ed esse sono piú volte noiose e interrompono la narrazione per introdurre un pensiero già visto precedentemente. Ma se si pensa alla formazione storica del romanzo ed al tempo necessario per completarlo esse possono apparire come una forma di legame ai differenti capitoli di cui il romanzo è composto e sono come un filo unitario alla trama di esso. Nella descrizione di Firbo e dell'amico Pirandello presenta alcune caratteristice allo stesso modo:

Gli domandai dal canto suo se egli sapesse di aver *nel mento una fossetta che glielo divideva in due parti non del tutto uguali; una piú rilevata di qua, una piú scempia di là* (p. 1289).

Già e io allora gli scoprivo *sul mento una fossetta che glielo divideva in due parti non perfettamente uguali, una piú rilevata di qua, una piú scempia di là* (p. 1331).

In altri brani descrivendo il proprio padre.

E pensai all'improvviso che *le mani di mio padre s'erano levate cariche d'anelli lí dentro* a prendere *gli incartamenti* dai palchetti di *quello scaffale* e le vidi come di cera, *bianche, grasse con quegli anelli, e i peli rossi sul dorso delle dita* e vidi gli occhi di lui come di vetro, azzurri e maliziosi (p. 1358).

Rivedendomi col pensiero in quello *stanzino, dello scaffale* nell'atto *di sollevare le mani* per rubare a me stesso *l'incartamento* dopo aver immaginato *là dentro quelle di mio padre bianche, grasse piene di anelli e coi peli rossi sul dorso delle dita* (p. 1374).

Oppure quando ripete il medesimo pensiero in due capitoli differenti.

Già *storia vecchia*, difatti *Ma io non ho la pretesa di*

Eh *storia vecchia* anche questa. *Si sa, E io non pre-*

dirvi niente di nuovo. Solo vi domando. E perché allora Santo Dio, fate come non si sapesse? Perché seguitate a credere che la vostra realtà sia la vostra, questa d'oggi, e vi meravigliate, vi stizzite, gridate che sbaglia il vostro amico, il quale per tanto faccia non potrà mai avere in sé poverino, lo stesso animo vostro (p. 1308).

tendo di dir niente di nuovo. Solo torno a domandarvi. Ma perché allora, Santo Dio, seguitate a fare come se non si sapesse? A parlarmi di voi, se sapete che per essere per me quale siete per me ci vorebbe che io, dentro di me, vi dessi quella stessa realtà che voi vi date, e viceversa; questo non è possibile (p. 1309).

Pirandello ritorna nella ripetizione precedente agli stessi concetti sebbene nelle diverse circostanze usa delle parole simili invece che eguali e leggermente varia il contenuto pur lasciando, si può dire, intatta la forma. La costanza delle descrizioni fisiche che si ripete varie volte nei riguardi del padre si verifica anche nei riguardi di Moscarda stesso. La persona fisica di Moscarda subisce pochissime variazioni nel corso dello svilupparsi della trama del romanzo, già in altra parte di questo studio, quando si è parlato della molteplicità della personalità di Moscarda si è fatto notare come la persona fisica di Moscarda rimane un fatto costante in tutto il romanzo (12).

Nel capitolo «Quel caro Gengé» del libro II i concetti e le parole «sostituzione» e «sopraffazione» sono espresse più volte nel contesto. La continua presenza di varie ripetizioni in Uno, Nessuno e Centomila è un fatto particolare e importante nel linguaggio del romanzo. Se alle ripetizioni si aggiunge il largo uso che Pirandello fa delle esclamazioni, soprattutto il nome di Dio in forma esclamativa: «Oh Dio — Santo Dio — Dio — Dio mio — Dio liberi — Dio sa — Diamine — Oh

---

(12) Si consultino le pagine 64 e 65 del presente studio.

eccola — Un corno» (13) si vede lo sforzo dell'autore di avvicinarsi ed usare la lingua parlata.

Per le caratteristiche accennate la sua prosa appare spesso nuda e povera senza nessun rifinimento retorico o estetizzante e suscita una impressione di inquieto e torbido proprio come l'avventura che rappresenta. Quando però, egli intravede l'assoluto e indistinto palpitare della vita la sua prosa e il suo linguaggio diventano liricità intensa e il suo spirito non si placa finché non raggiunge la sosta contemplativa ottenuta attraverso l'unione mistica con la natura e l'universo.

Lo sforzo di Pirandello in *Uno, Nessuno e Centomila* si sposta perciò da una immediatezza espressiva ad una contemplazione mistica e lirica di forme poetiche attraverso la difficoltà dell'ispirazione e la necessità di collegamento tra i vari capitoli del romanzo. Tale spostamento della prosa pirandelliana è dovuto sicuramente al fatto che il romanzo si trova quasi a metà strada tra il mondo dei drammi e quello delle novelle. Infatti per la immediatezza espressiva si avvicina ai drammi, per lo squarcio lirico alle novelle.

Un posto particolare hanno nel linguaggio del romanzo le frasi conclusive dei vari capitoli: «Finalmente» (p. 1296); «Concludiamo» (p. 1310); «Vi dirò poi, come e perché» (p. 1310); «Che c'entra questo» (p. 1312); «Ma a spiegarvi il perché dei perché?» (p. 1314); «Ecco andiamo via» (p. 1315); «Andiamo avanti» (14) (p. 1339); «Pazzo. Pazzo. Pazzo» (p. 1388); «Ma non antecipiamo» (p. 1346); «Deve essersi impazzito» (p. 1357); «Io questo? Io, cosa? Tu sei cieco, tu sei pazzo» (p. 1351); «Non riuscivo ad indovinare la ragione» (p. 1390); e cosí via.

---

(13) Diverse novelle presentano un largo uso di queste forme esclamative.
(14) La medesima espressione in forma conclusiva si ripete anche nella novella *Risposta*.

Con esse certamente Pirandello vuol stabilire una continuità logica nel romanzo, che composto attraverso un lungo periodo di tempo, ha forse piú d'ogni altra opera bisogno di un filo conduttore tra le varie parti, che in altri modi forse sarebbe mancato. Il filo conduttore che unisce le varie parti del romanzo non è assoluto e brani di *Uno, Nessuno e Centomila* possono essere staccati dal contesto per formare delle entità indipendenti, quasi in forma di novella, come d'altronde Pirandello si è servito pubblicando i due brani «Ricostruire» su *Sapienti*a nel 1915 e «Marco di Dio e sua moglie Diamante» sulla *Rivista di Firenze* nel 1925.

B. TECNICA DELLA NARRAZIONE

In *Uno, Nessuno e Centomila* si scopre la presenza di una tecnica particolare di cui Pirandello si è voluto appositamente servire. Sin dalle prime pagine si nota una continua e pressante ricerca del particolare della scena, come se l'autore voglia dare sempre e senza indugi una visione completa della situazione. La descrizione dettagliata dei particolari spesso confonde il lettore, che accusa un senso di smarrimento specie all'inizio del romanzo a causa dei sofismi di Moscarda. Gli elementi della tecnica narrativa del romanzo sono da ritrovarsi nella forma del dialogo che abbonda e nel monologo interiore di Moscarda, che spesso è narratore della propria vicenda a interlocutori spesso nascosti (15).

---

(15) Gilbert Bosetti, *Luigi Pirandello*. Paris, 1971, p. 96. «*Un, Personne et Cent Mille* est certes, du point de vue non spéculatif mais narratif, un exercice de virtuosité, mais un exercise nullement gratuit car il y a une grande adéquation entre ce style corrosif et purement analytique — un monologue intérieur dramatique qui se déroule a un rythme vertigineux, avec des questions posée au lecteur, des responses aux objections supposées —, et le theme de la dissolution de la personalitè; qui dit en effect remise en cause du lan-

Moscarda ha bisogno di raccontare il fatto della vita e si rivolge al lettore, quando non è impegnato in alcuna attività meditativa, in prima persona descrivendo la propria avventura quasi in modo distaccato. Nei momenti di ricerca interiore la prosa del romanzo segue il movimento dialettico della mente fino alla scoperta della verità. Una buona parte del romanzo è composta con la forma del dialogo tra i vari personaggi (16). La prosa del romanzo appunto per questi elementi, dialogo, monologo interiore e narrativa (17) diventa allo stesso tempo, botta e risposta, fatto di attachi e interventi, di messe a punto, di interventi di nuovo e di obiezioni. «Nel romanzo Pirandello sa immettere, in certa misura almeno, il ritmo della vita; non foss'altro che nel tono stupefatto, scanzonato e ironico dell'esposizione. Tono già presente nelle novelle contemporanee» (18).

Per la successione continua di questi tre elementi lo stile del romanzo subisce una continua variazione ed una tensione espressiva arricchita in modo particolare dall'evocazione e dal ricordo di Moscarda. L'azione di Moscarda diventa cosí parlata e dialogata per una esigenza interiore. Moscarda riffugge spesso nella interrogazione e nelle lunghe considerazioni filosofiche che si agitano nel suo cuore e nella sua mente, tutte due vittime della duplicità o meglio della molteplicità

---

gage, des phrases toutes faites des synthèses savament élaborées. L'oeuvre n'est pas moins révolutionnaire dans sa forme que dans son fond, et on peut la considerer comme un modèle d'avant-garde du roman moderne.»

(16) Cfr. Silvana Monti, *Pirandello*. Palermo, 1974, pp. 130-131.
(17) Alcuni dei monologhi interiori del romanzo sono in comune con la novella *Canta l'epistola*.
(18) Cfr. Arminio Janner, *Luigi Pirandello*. Firenze, 1969, pp. 261-263. Cfr. Mario Ferrara, *Luigi Pirandello. Profilo storico*. Roma, 1968, pp. 124-125.

della persona umana e della propia coscienza tormentata (19).

1. *Moscarda narratore*

Agli inizi del romanzo Moscarda introduce sé stesso e la moglie Dida con una certa reverenza per il lettore, che sembra guardare instancabile: «Se permettete»; e dopo pone direttamente sul tavolo il problema della propria esistenza. Poi accorgendosi che il lettore non risponde si immagina una risposta adeguata perché il seguire la sua avventura vuol dire essere perduti nel tempo: «Si vede» voi dite «che avevate molto tempo da perdere» (p. 1286).

Nel secondo capitolo del libro I «E il vostro naso» c'è un passaggio innavertito e Moscarda non parla piú col lettore ma si rivolge ad un amico che passa per strada e conversa con lui sui diffetti fisici della propria persona. Di nuovo a poco a poco, Moscarda, sotto gli occhi acuti del lettore sempre presente e sempre scrutando, presenta l'introduzione e il fondamento della propria ricerca filosofica e dimostra come nella pendenza del suo naso hanno origine i suoi mali.

Ad un certo punto, Moscarda diventa improvvisamente conscio della presenza del lettore e vi si rivolge in forma diretta: «Vi sembra già questo un segno di pazzia» (p. 1292). La domanda è a bruciapelo ed è seguita da una lunga serie di considerazioni sulla vita a loro volta interrotte da un colpo di scena causato dalla moglie Dida. Segue l'intermezzo di una discussione filosofica e Moscarda concludendola ne chiede il parere al lettore: «Dunque, niente; questo, e vi par poco?» (p. 1300).

Nel libro secondo l'interlocuzione tra Moscarda ed il lettore assume una nuova forma di espressione. Nel

---

(19) Cfr. Giuseppe Giacalone, op. cit., pp. 81-82.

capitolo «Ci sono io e ci siete voi» tale forma è espressa in una specie di conferenza stampa: obiezioni e risposte. Il tutto è poi seguito da un monologo sofistico di Vitangelo, che viene di nuovo interrotto dalla moglie Dida. Ripreso il monologo Vitangelo accusa il lettore di un certo «sorriso canzonatorio» per un certo «sconcertamento» causato dalle sue fantasticherie.

Persino parlando e presentando Marco di Dio, Moscarda sente la necessità ed il bisogno di interrompere la propria narrazione per chiedere al lettore «Ridete»? (p. 1343). La domanda, come altre volte, è diretta e fa pensare senza dubbio che Pirandello voglia far partecipare il lettore alla vicenda di Moscarda. Il romanzo continua poi, con diversi dialoghi tra Moscarda e gli altri personaggi. Nella descrizione minuta dei fatti accaduti e dello svolgersi della trama però la presenza del lettore non diminuisce, anzi cresce e continua sino alla fine dell'avventura umana del protagonista, per una necessità intrinseca del romanzo stesso.

Altri brani del romanzo, come quello in occasione della visita del giudice, il capitolo «La coperta di lana verde» del libro VIII, si distaccano dalla forma comune del dialogo tra lettore e protagonista e si avvicinano di piú ad una forma ragionata di racconto in cui il lettore partecipa quasi di nascosto, finché nella venuta del giudice scrupoloso Moscarda domanda ad alta voce, come per chiederne un parere, al suo nascosto interlocutore: «Poteva, domando io, capitare piú innoportuno quel giudice?» (p. 1412).

Moscarda assume in questa occasione le veci del sapiente e del filosofo, che impartisce in forma di lezione e conferenza le proprie scoperte sulla vita e sulla morte; sulla personalità umana ed il rapporto dell'individuo con la società e tutte le altre conclusioni che attraverso il «suo lungo» e «profondo» meditare era riuscito a raggiungere. A questo vengono pure aggiunte la comprensione che egli ormai ha raggiunto sugli altri e la cecità meschina ed incoscienza degli altri uomini.

Da queste premesse diventa, quindi chiaro che Pirandello voglia spingere sino in fondo la sua indagine con uno sforzo di penetrazione dell'io, distruggendo cosí in parte quei movimenti lirici che si trovano in alcune pagine del romanzo e delle novelle. È vero che i romanzi pirandelliani hanno marcato delle tappe nel suo cammino spirituale e che *Uno, Nessuno e Centomila* racchiude in sé ogni tesoro della visione tematica e stilistica di Pirandello. Attraverso la tecnica e la costruzione di questo romanzo si può vedere come la schematicità del dialogo e il monologare astruso del protagonista siano alla base di ogni progressivo calarsi dell'autore nell'incontro dell'uomo (20).

Nell'interpretazione della realtà Pirandello non trascura particolari e nelle pagine del romanzo c'è un mondo quasi senza confini e nell'infinito di esso il protagonista si muove inconsapevole. Il lettore, però, trova tutta la storia della vicenda terrena di Moscarda narrata in prima persona e può seguire lo svolgersi dei «fatti» in implicazioni nitide e precise come in un quadro. Il narrare continuo del protagonista inoltre richiama il lettore ad una sistemazione che può sembrare apparente ma che invece è voluta da Pirandello per produrre un effetto di unità spontanea alla vicenda e non costruita a priori.

2. *Dialogo*

Il linguaggio pirandelliano del romanzo spesso si risolve come già si è visto nella tematica della solitudine. L'uomo solo: Moscarda vive per sé stesso oppure per un interlocutore inesistente (21). La soluzione sti-

---

(20) Si veda l'introduzione di Stefano Landi (il figlio Stefano) alla pubblicazione del romanzo su *Fiera Letteraria* nel 1925.
(21) Cfr. Benvenuto Terracini, op. cit., p. 335, e Filippo Puglisi, op. cit., p. 150.

listica di questa situazione comporta in *Uno, Nessuno e Centomila* ripetizioni, allusioni ammicanti, costruzioni sintattiche affanose, che ubbidiscono al ritmo interiore della «lingua parlata» ed in fine del dialogo (22). Nel continuo movimento dialettico del dialogo a volte aspro e stringente si manifesta l'alternarsi della vicenda di Moscarda.

Le rapide battute dei dialoghi producono effetti scattanti e veloci ed il «senso del contrario» che Pirandello vuol infondere attraverso Moscarda raggiunge un limite di dissolvimento nella tonalità dell'intera composizione. La presenza del dialogo rende la lettura di *Uno, Nessuno e Centomila*, spesso appesantita dalle peripezie dei personaggi caduti in un acuto problematicismo, viva e rapida per un senso di velocità interiore al dialogo stesso. Forzando la situazione Pirandello produce dei vuoti di coscienza che hanno quasi del machiavellesco, specie se si mettono in relazione contrastante «l'uno» e i «molti» in cui Moscarda è composto. L'aggrovigliarsi di scoperte e riscoperte interiori trova nel dialogo non solo una forma tragica di compromesso ma un senso universalmente umano dell'esistenza.

Il romanzo inizia con un dialogo tra Moscarda e la moglie Dida. Nella prima parte del capitolo primo del libro I: «Mia moglie e il mio naso» si può vedere e intuire come la narrativa assume una rapidità di movimento nel susseguirsi delle domande e delle risposte tutte molto corte e sillabiche: «Che fai? — Niente — Mi guardo il naso — Credevo ti guardassi da che parte ti pende — Mi pende — Ma sí — Verso destra — Il naso» (p. 1285) e cosí via. Pochissime battute e il tutto è detto e non solo, ma anche l'azione di guardarsi allo specchio è espressa con rapidità nella delicatezza del-

---

(22) Cfr. Mario Ferrara, op. cit., pp. 122-123.

l'annuncio. La rapidità del dialogo si trova anche quando Moscarda parla con l'amico per strada; quasi monosillabicamente il dialogo tra i due procede con una velocità e drammaticità senza eguali: «Ps... — Scusi — No — Perché — Ah, sí, come? Come lo sai? — Ah, ci ho..., come hai detto? (23) (pp. 1290-1291).

Nel clima drammatico di confronto va anche inteso il dialogo tra Stefano Firbo e Moscarda, nel capitolo «Sopraffazione» del libro IV. La velocità del dialogo abbastanza concitato è espressa nelle botte e risposte delle battute. Tale caratteristica conferma che Pirandello si sentiva molto attratto dalla forma espressiva del teatro. A ciò bisogna aggiungere che esiste nel romanzo, oltre alla velocità del dialogo, un altro elemento talmente importante, il susseguirsi rapido delle azioni per una sistemazione pittorica a cui Pirandello non può fare a meno di ispirarsi. Da notare che contemporanei al romanzo sono anche i maggiori lavori teatrali. Nel teatro il dialogo è necessità, nel romanzo è trovata stilistica, che sebbene contenga delle zone d'ombra, possiede una raffigurazione possente del dolore umano inteso come conseguenza della disgregazione della persona umana, resa evidente nella conversazione di esseri che non si comprendono (24).

Moscarda, racchiude nei suoi dialoghi quelle caratteristiche dei personaggi pirandelliani che l'hanno preceduto sofferenti nella molteplicità della persona e nello sforzo disperato di crearsi una finzione unitaria. Il capitolo «Il punto vivo» del libro V riporta il dialogo tra Quantorzo e Vitangelo. Il dialogo tra i due non solo è ricco di «botte» e «risposte» ma esprime anche lo scontro tra due personalità convinte delle loro idee.

---

(23) Cfr. Filippo Puglisi, op. cit., pp. 81-82.
(24) Cfr. Giuseppe Giacalone, op. cit., p. 120.

E tu stai bene attento a quello che ti dico — soggiunsi subito rivolto a Quantorzo — Voglio che la banca sia chiusa questa sera — Chiusa? Che dici? — Chiusa! Chiusa! — Ribattei, facendomegli adosso — Voglio che sia chiusa! Sono il padrone sí o no? — No caro! Che padrone! — Insorse — Non sei mica tu solo il padrone! — E chi altri? Tu? Il signor Firbo? — Ma tuo suocero! Ma tanti altri! — Però la banca porta soltanto il mio nome! — No, di tuo padre che la fondò! — Ebbene, voglio che sia levato! — Ma che levato! Non è possibile! — Oh, guarda un pò! Non sono padrone del mio nome? Del nome di mio padre? — No, perché è negli atti di costituzione della banca. È il nome della banca, creatura di tuo padre, tal quale come te! E ne porta il nome con lo stesso stessissimo tuo diritto! — Ah, è cosí — Cosí. Cosí. — E il denaro? Quello che mio padre ci mise di suo? Lo lasciò alla banca o a me, il denaro , mio padre? — A te, ma investito nelle azioni della banca! — E se io non voglio piú? Se voglio ritirarlo per investirlo altrimenti, a piacer mio, non sono padrone? — Ma tu cosí butti all'aria la banca! — E che vuoi che me ne importi? Non voglio piú saperne ti dico! — Ma importa agli altri, se permetti! Tu rovini gli interessi degli altri, i tuoi stessi, quelli di tua moglie, quelli di tuo suocero! — Niente affatto! Gli altri facciano quello che vogliono; seguitino a tenerci i loro; io ritiro il mio. — Vorresti mettere dunque in liquidazione la banca? — So un corno di queste cose! So che voglio, «voglio» capisci? Voglio ritirare i miei denari e basta cosí! — (pp. 1378-1379).

L'incontro tra le due volontà di Moscarda e di Quantorzo per mezzo di quei «Ma...» e «No» in continuo contrasto si avvicina di piú a uno scontro di pugilato che ad una semplice discussione d'affari tanto è lo sforzo delle immagini che Pirandello è riuscito a creare e costruire attraverso la frase troncata. La teatralità dell'espressione è evidente in questo diverbio.

Lo scontro di queste due volontà si conclude non solo in quei tre «Voglio. Voglio. Voglio» ripetuti da Moscarda ma «nei denti che si serrano e i nasi che si arricciano e le ciglia che si aggrottano e tutta la persona che freme» (p. 1379).

La velocità del dialogo non ha precedenti nel romanzo (25). Sono pregnanti i modi di dire e le espressioni tipiche della lingua parlata: «Un corno — Butti all'aria — Nient'affatto — Sí e no — No, caro — Ah, è cosí — Cosí, cosí.» La rapidità dell'espressione è vista inoltre nella compiutezza del tempo verbale usato, come nel caso dei vari participi al passato: «Chiusa — Ma che levato» e le ribattute senza verbo «Chiusa — E il denaro — A te, ma investito nelle azioni della banca — No caro — Che padrone.»

La chiarezza delle espressioni non ammette diversione e confusione nel capire ciò che Moscarda vuole ottenere. Continuamente egli ripete il verbo «volere» con una forza che non accetta discussioni di sorta. Quantorzo viene vinto dai «Voglio» di Moscarda ed il senso di rassegnazione si vede nel tono sottomesso come qualcuno che tenta di convincere una persona difficile, con forme di gentilezza minuta: «Se permetti — Vorresti — Chiusa? Che dici — Tu rovini i tuoi stessi interessi — quegli degli altri — quelli di tua

---

(25) Filippo Puglisi, op. cit., pp. 82-83. «Domanda e risposta si scontrano, si può dire, immediatamente; il pensiero corre: non può obbedire alle regole della punteggiatura di solito accettate? .... Lo strumento linguistico, atto a manifestare, a rendere col suo movimento, con gamma ricca di colori, le articolazioni dello spirito umano, Pirandello se l'andrà foggiando; farà ricorso, come s'è visto da questi pochi cenni, ai dialetti della penisola, a quello romano, come nel Ventaglino, a quello siciliano, come nella Verità, in Lumie di Sicilia, e cosí via.... Pirandello egualmente passerà dal campo della poesia e della narrativa a quello del teatro, dove a mezzo del dialogo, del suo dialogo, sciolto e scattante, troverà la tastiera piú acconcia, piú pronta per l'espressione del suo mondo, ma anche qui la sua prosa, per quanto frastagliata, incontrerà degli ostacoli oggettivamente insormontabili.»

moglie — quelli di tuo suocero.» Quando tutti i piú convincenti motivi sono esauriti Quantorzo disperatamente chiede, ormai esausto, il perché come supplicando: «Ma si può sapere il perché? Cosí da un momento all'altro?» Naturalmente Moscarda non sa e non vuol rispondere a questa domanda e sbatte a sedere la propria moglie sulla poltrona, esce «furioso» dal salotto senza però dimenticarsi di dare un ultimo avvertimento a Quantorzo. La vivacità di questa scena non è inferiore a tante altre del teatro pirandelliano.

Il conflitto interno della società medio-borghese si riflette nel romanzo quando Moscarda a causa delle sue azioni e decisioni contrastate dagli altri è come proiettato sul palcoscenico della vita: qui la tragedia della propria esistenza umana avrà una condizione assoluta di spasimo ed angoscia senza che egli abbia la possibilità di allontanarsi. Egli si trova proiettato involontariamente su questo palcoscenico ma forse nell'accettazione volontaria di esso egli trascina nella sua avventura tutte le persone che vivono alla sua ombra.

Il suocero cerca di fargli capire l'intrinseca veritá dell'esistenza umana, ma il concitato dialogo tra i due porta alla conclusione che Moscarda é «Pazzo. Pazzo. Pazzo.» Il grido che annunzia al mondo la pazzia di Moscarda non è nuovo ma nelle circostanze successive al dialogo col suocero acquista un valore particolare di scoperta perché alla consapevolezza precedente unisce l'ormai raggiunta convinzione, da parte di Moscarda, che raggiungere l'unità della propria persona è impossibile.

La presenza del dialogo in *Uno, Nessuno e Centomila* rende il dramma e il travaglio di Moscarda e dei vari personaggi un elemento di sorpresa come la vita e vivifica perciò tutta la narrativa. Il dramma di Moscarda che urge dal di dentro trova attraverso il dialogo la realtà della propria esistenza.

3. Monologo interiore

Tra i monologhi drammatici e il lungo ragionare dei dialoghi Pirandello sa anche scendere in *Uno, Nessuno e Centomila* con una visione narrativa piú libera nei meandri della propria introspezione. Nei momenti, come egli dice di momento e «silenzio» interiore, Pirandello coglie nell'intimo dei suoi personaggi la forma drammatica e appassionata della propria persona.

Nella solitudine eterna del personaggio si sviluppa una visione del reale e Moscarda porta all'esterno, spesso in forma spietata, le proprie caratteristiche fisiche, accompagnate dalla solitudine e dell'angoscia. Per l'ozio in cui egli si nasconde le condizioni sociali sono rinnegate e scoperte nella loro falsità. La sua vita si trasforma perciò in dramma di ricerca della verità al di fuori di ogni elemento caratteristico ed esterno. Tutte le forme di discorso dal soliloquio al dialogo sono perciò mezzi stilistici di Pirandello per presentare il dramma di Moscarda.

Non tutti i discorsi di Moscarda sono limpidi e semplici come lo sono nella fase conclusiva del romanzo, anzi, specie all'inizio il suo argomentare è chiuso e serrante, e la sua logicità invece di risvegliare l'interesse del lettore lo annoia. Lo stile usato da Pirandello è infatti uno stile che rispecchia anche nelle parole e nella costruzione sintattica il monologo interiore di Moscarda. Nel capitolo «Inseguimento all'estraneo» del libro I la logicità di Moscarda è indiscutibile:

> Ma prima di tutto, quella meraviglia, quel cordoglio, quella rabbia erano finite, e non potevano essere vere, perché se vere non avrei potuto vederle, che subito sarebbero cessate per il solo fatto che io le vedevo; in secondo luogo, le meraviglie di cui potevo esser preso erano tante e diversissime, e imprevedibili anche le espressioni, senza fine variabili anche secondo i momenti e le condizioni del mio

animo; e cosí pure tutti i cordogli e le rabbie. E infine, anche ammesso che per una sola determinata meraviglia, per un solo determinato cordoglio, per una sola determinata rabbia io avessi assunto veramente quelle espressioni, esse erano come le vedevo io, non già come le avevano vedute gli altri. L'espressione di quella rabbia, ad esempio, non sarebbe stata la stessa per uno che l'avesse temuta, per un altro disposto a scusarla, per un terzo disposto a riderne e cosí via (p. 1295).

Il susseguirsi incessante delle parole «meraviglia — cordoglio — rabbia» raggiunge spesso dei limiti noiosi, seppure nella chiarezza logica e nel fascino del soliloquio di Moscarda. Moscarda è qui appena agli inizi della sua strada conoscitiva ed è logico che nella narrazione dei fatti e del suo stato interiore si senta la mancanza di un afflato spirituale, che si propone di raggiungere e raggiunge infatti alla fine della propria esistenza.

In questo brano, sembra che Pirandello si sia divertito a costruire un giuoco di parole: «quella meraviglia — quel cordoglio — quella rabbia» e di nuovo «tutti i cordogli — tutte le rabbie — tutte le meraviglie» ed ancora «determinata meraviglia — determinato cordoglio — determinata rabbia;» ma l'effetto è ben altro, il variare costante dell'aggettivazione produce nella narrazione gli stessi effetti e sintomi che si verificano nell'animo di Moscarda. Nel brano il susseguirsi dei concetti nella mente di Moscarda ha un posto di primo piano: «prima di tutto;» «in secondo luogo;» «infine;» Moscarda procede per punti nel suo pensare con un piano ben ordinato e calmo.

Il protagonista sa quello che pensa e lo mette alla prova quando lo confronta con quelle che saranno le reazioni dei circostanti: «per uno che l'avesse temuta;» «per un altro disposto a scusarla;» e «per un terzo disposto a riderne.» Il giuoco delle parole perciò non è altro che una cosciente adattazione usata da Pirandello per esprimere lo stato mentale del protagonista. Chi capisce «il giuoco» non può essere ingannato e accettando l'avventura di Moscarda si identifica con essa. Questo effetto è prodotto da Pirandello nella narrazione spesso scarna e spoglia di ogni sottigliezza retorica ed estetica. La realtà di Moscarda si manifesta perciò attraverso uno stile spesso aspro e duro e richiede la collaborazione meditativa del lettore. Il problema centrale del romanzo si trova infatti nella compassione umana per Vitangelo costretto da un destino inesorabile ad assumere una identità non sua.

Nei vari monologhi interiori del romanzo Moscarda si dibatte tra la vita vista nella sua nudità e le illusioni di cui essa viene ammantata dagli uomini. L'atmosfera creata da questa situazione è di distacco tra reale e irreale in un giuoco di illusioni in cui egli spegne nel Nulla sé stesso. Pirandello ottiene questo effetto dando senso e valore ad oggetti concreti nella loro natura di oggetti inerti e casuali. Il risultato è quello di disfacimento sottolineato con solennità da Pirandello; «Chi è lui? Se ognuno di noi potesse per un momento staccare da sé quella metafora di sé stesso... si accorgerebbe subito che questo lui è un altro» (p. 1206).

La consapevolezza interiore del Nulla è raggiunta da Moscarda quando egli abbandona ogni costruzione razionale. Deluso dai mezzi logici della propria ricerca si abbandona alla fede religiosa che nasce dalla natura in un impeto quasi primitivo del sentimento alla fine della propria avventura (26).

Quest'albero, respiro tremulo di foglie nuove. Sono quest'albero. Albero, nuvola, domani libro e vento: il libro che leggo, il vento che bevo. Tutto fuori va-

(26) Cfr. Oreste Allavena, *Pirandello. Dalla narrativa al dramma.* Savona, 1970, pp. 99-100.

11

gabondo. L'ospizio sorge in campagna, in un luogo amenissimo. Io esco ogni mattina all'alba, perché ora voglio serbare lo spirito cosí, fresco d'alba, con tutte le cose come appena si scoprono, che sanno ancora di crudo della notte, prima ancora che il sole ne secchi il respiro umido che fanno parere piú ampia e chiara, nella grande ombra ancora notturna, quella verde piaga di cielo. E qua questi fili d'erba, teneri d'acqua anch'essi, freschezza viva della prode. E quell'asinello rimasto al sereno tutta la notte che ora guarda con gli occhi appannati e sbruffa in questo silenzio che gli è tanto vicino e a mano mano pare gli si allontani, incominciando, ma senza stupore, a chiarirgli attorno, con la luce che dilaga appena sulle campagne deserte ed attonite. E queste carraie qua, tra siepe nere e muriccie screpolate, che sullo strazio dei loro solchi stanno e non vanno. E l'aria è nuova. E tutto attimo per attimo, è com'è, che s'avviva per apparire. Volto subito gli occhi per non vedere piú nulla fermarsi nella sua apparenza e morire. Cosí soltanto io posso vivere, ormai. Rinascere attimo per attimo. Impedire che il pensiero si metta di nuovo a lavorare, e dentro mi faccia il vuoto delle vane costruzioni. La città è lontana. Me ne giunge a volte, nella calma del vespro, il suono delle campane. Ma ora quelle campane le odo non piú dentro di me, ma fuori per sé suonare, che forse ne fremano di gioia nella loro cavità ronzante, in un bel cielo azzurro pieno del sole caldo tra lo stridio delle rondini o nel vento nuvoloso, pesanti e cosí alte sui campanili aerei. Pensare alla morte, pregare. C'è pure chi ha ancora questo bisogno, e se ne fanno voce le campane. Io non ho piú questo bisogno, perché muoio ogni attimo, io, e rinasco nuovo senza ricordi: vivo, non piú in me in ogni cosa fuori (27) (p. 1416).

Dalle premesse logiche e scettiche delle prime pagi-

---

(27) Cfr. la novella *Quando ero matto* (vol. I, pp. 163-164).

ne del romanzo Pirandello approda qui, attraverso il monologo interiore, al trascendente. Un necessario approdo perché nutrisce ed espande il narrare dell'opera e spiega il fluire immotivato della realtà. Il fluire della vita si vede nella indeterminatezza degli infiniti, abbondanti in questo brano: «pensare alla morte, pregare;» «rinascere attimo per attimo;» «impedire che il pensiero si metta di nuovo a lavorare.» L'indeterminatezza degli infiniti si sfaccetta e si riflette per tocchi sempre piú evanescenti che partono dalla identificazione con la natura: «Quest'albero, respiro tremulo di foglie nuove, domani libro, vento: il libro che leggo, il vento che bevo;» e arrivano ad una soluzione fatale che è il fluire continuo della vita attraverso una simmetria discorsiva che allinea alla rinfusa predicati e complimenti: «Io non ho piú questo bisogno; perché muoio ogni attimo, io, e rinasco nuovo e senza ricordi: vivo e vero, non piú in me ma in ogni cosa fuori.» Questo finale ha qualcosa di romantico e di morbido, forse Pirandello riffugge senz'altro da ogni sentimentalismo perché nel procedere fantastico della identificazione mistica di Moscarda con la natura, attraverso «stazioni» fatte di frasi nominali, egli introduce in toni surrealistici il perdersi ineluttabile della vita nel Nulla.

Il supremo struggimento dei sensi di Moscarda in questo processo di identificazione mistica viene richiamato dalla consistenza della terra e delle cose di fronte all'evanescenza dell'immateriale: «E queste carraie — E qua questi fili d'erba — Quelle nubi d'acqua là — Quest'albero — E l'aria è nuova — E ora voglio serbare lo spirito così — Nella calma del vespro il suono delle campane.» La scioltezza stilistica di questo brano ha delle caratteristiche sintattiche derivanti da una liricità poetica quantunque il tono meditativo degli infiniti si dispiegherà interamente e segnerà il colmo di una disgregazione nella struttura sintattica che ripete ordinariamente ciò che avviene nell'animo di Moscarda.

Moscarda nel clima surrealistico (28) della conclusione della propria avventura ha ormai capito la vita e vivere diventa partecipazione alla vita universale (29). Pirandello guarda nell'animo della sua creatura e analizzando ogni «vuoto» del pensiero e del sentimento accoglie ogni dubbio ed ogni ambascia con una crudeltà tanto piú lacerante e penosa quanto piú sinceri e incalzanti sono in Moscarda il bisogno di cogliere il vero dal falso e di distruggere il tragico compromesso vita-morte. La vita è sofferenza per Moscarda e diventa pianto dell'uomo e della natura finché il bisogno di conoscere i misteri dell'inconoscibile sfocia nella scoperta di Dio, dell'Assoluto, della Verità appunto per quella porzione di spirito universale che l'uomo capta nascendo.

In tale respiro poetico si attua il processo di liberazione, la «catarsi» dello spirito umano. La meccanicità delle formule iniziali del romanzo, esposte in una casuistica quasi geometrica, cade nel brano finale come un'impalcatura per dar luogo alla libera e calda espres-

---

(28) Cfr. Arminio Janner, op. cit., pp. 22-25 passim.
(29) Cfr. Giuseppe Giacalone, op. cit., pp. 200-201. «La poesia di questa amara conclusione è quella di un disilluso che contempla la vita da una plaga remota, da una atmosfera fuori tempo, da un immemore mondo post-mortem, in un colloquio con la natura che lo reinserisce nell'universalità. Cosí Vitangelo Moscarda trova la via della salvezza, la sua consistenza individuale, annullandosi nell'universalità, avvertendo in sé stesso la sensazione costante del suo vivere e del suo morire nella contemplazione della vita cosmica. In questo romanzo il Pirandello riprendendo in esame motivi vecchi delle sue opere precedenti (novelle, liriche, romanzi) non ha voluto scrivere soltanto il riepilogo del suo pensiero, ma ha voluto anche aprire la sua anima a nuovi approdi, indicando in un modo piú elementare e istintivo soluzioni piú chiare e positive, in cui la sua consueta disperazione possa finalmente trovare conforto e libertà, alle maschere della vita. Anche per Vitangelo la pazzia, come del resto per molti personaggi pirandelliani, è una via per recuperare il senso della personalità umana, in una società cosí disumanizzata e falsa, come quella in cui egli era costretto a passare per un usuraio, senza volerlo e senza saperlo.»

sione della lirica e della visione fantastica. Finalmente, attraverso il monologo interiore sul campo sconvolto di Moscarda «s'aggira, sola, l'ala malinconica della poesia ad addolcire e confortare l'impotenza conoscitiva e l'agressione della tristezza che accompagnano le terrene vicende dell'esistenza dell'uomo» (30).

(30) Vincenzo Filippone, «Pirandello e la ricerca della poetica della verità,» *Atti del Congreso internazionale di studi pirandelliani.* Selci Umbro, 1967, p. 830.

APPENDICI

A. VARIANTI

1. Uno, Nessuno e Centomila e «Ricostruire»

Procedendo in ordine cronologico si considererà in primo piano il brano «Ricostruire» della rivista *Sapientia*. I capitoli VI - VII - VIII - IX - X - XI del libro secondo di *Uno, Nessuno e Centomila* corrispondono a questa prima pubblicazione del romanzo.

UNO, NESSUNO E CEN-TOMILA	RICOSTRUIRE
Avete mai veduto costruire una casa?	Una casa... Avete mai veduto costruire una casa?
Ma guarda un pò l'uomo che è capace di fare.	Ecco qua che fa l'uomo.
Ma l'uomo una bestiolina piccola, sí, che ha però in sé qualcosa che voi non avete.	Ma l'uomo è una bestiolina piccola che ha qualcosa che voi non avete.
A star sempre in piedi vale a dire, ritta su due zampe soltanto si stancava.	A star sempre in piedi, la bestiolina piccola, ritta su due zampe si stancava.
Anche, perché, perduto il pelo, la pelle, eh, la pelle è diventata piú fine.	Perché ha la pelle piú fine.
E poi sentí che non era co-	E poi non gli parve neanche

— 167 —

modo neppure il legno nudo
e lo imbottí.
E tra il cuoio e il legno mise
la lana e ci si sdraiò beato
sopra.
Il cardellino canta nella
gabbietta sospesa tra tende
al palchetto della fines-
tra.
Perché adesso la vedete
com'è, la vostra casa, tra le
altre che formano la città.

Quando cioè.
Come se già incominciaste a
compenetrarvi un poco della
mia pazzia, subito, d'ogni
cosa che vi dico, vi adom-
brate; domandate: — per-
ché, che c'entra questo? —
No via, non abbiate paura
che vi guasti i mobili, la pace e l'amore di casa. Aria.
Aria.
Lasciamo la casa, lasciamo
la città. Non dico che possiate fidarvi molto di me;
ma via non temete. Fin dove
la strada con quella casa
sbocca nella campagna, potete seguirmi.

Si, strada questa. Temete
sul serio che possa dirvi di
no? Strada. Strada. Strada
brecciata; e attenti alle scaglie. E quelli sono fanali. Ve-
nite avanti sicuri. Ah ques-

comodo il legno nudo e lo
imbottí.
E tra il legno e il cuoio dis-
pose la lana e poi si sdraiò
beatamente.
Il cardellino canta entro la
gabbia sospesa tra le tende
alla finestra.

Perché voi vedete adesso la
vostra casa com'è, tra le tante altre case che formano
la città.
Appena cioè.
(Questa edizione manca del
brano accanto.)

Lasciamo la città. Vogliamo
andare un pò fuori? Non
dico che possiate fidarvi
molto di me; ma via non
temete. Fin dove sono quelle
ultime case, fin dove la strada sbocca nella campagna
potete seguirmi.
(Questa edizione manca del
brano accanto.)

ti monti azzurri lontani.
Dico «azzurri» anche voi dite «azzurri,» non è vero?
D'accordo e questo qua vicino, col, bosco di castagni:
castagni, no? Vedete, vedete
come ci intendiamo? Dalla
famiglia delle conifere d'alto fusto. Castagno marrone.
Che vasta pianura davanti
(«verde» eh? per voi e per
me «verde»: diciamo cosí
che ci intendiamo a meraviglia); e quei prati là, guardate, guardate che bruciare
di rossi papaveri al sole.
Ah come? cappottini di lana
rossa, avete ragione. M'erano sembrati papaveri. E codesta cravatta vostra pure
rossa... Che gioia in questa
vana frescura, azzurra e verde, d'aria chiara di sole. Vi
levate il cappellaccio grigio
di feltro? Siete già sudato?
Eh, bello grasso voi, Dio vi
benedica. Se vedeste i qua-
dratini bianchi e neri del
vostro deretano. Giù, giù la
giacca pare troppo.

La campagna. Che altra pace eh? Vi sentite sciogliere.
Si, ma se mi sapeste dov'è?
Dico la pace. No, non temete. Vi sembra propriamente
che ci sia pace qua. In-
tendiamoci, per carità. Non
rompiamo il nostro perfet-
Che pace eh? Vi sentite sciogliere... E vi sembra che
sia per effetto di questa
pace che regna qui, per tutto su la verde pianura, nel
bosco dei castagni, là tra
quei monti. No cari, vi assi-
curo che quà non c'è nessu-

to accordo. Io quà vedo soltanto con licenza vostra ciò che avverto in me questo momento, un'immensa stupidità, che rende la vostra faccia, e certo anche la mia, di beati idioti; ma che noi pure attribuiamo alla terra e alle piante, le quali ci sembra vivono per vivere, cosí soltanto come in questa stupidità possono vivere. Diciamo dunque che è in noi ciò che chiamiamo pace. Non vi pare? E sapete da chi proviene? Dal semplicissimo fatto che siamo usciti or ora dalla città, cioè, si, da un mondo costruito: case, vie, chiese, piazze; non per questo soltanto però, costruito, ma anche perché non si vive piú per vivere, come queste piante, senza saper piú di vivere; bensí per qualche cosa che non c'è e che vi mettiamo noi; per qualche cosa che dia senso e valore alla vita: un senso, un valore, che quà almeno in parte, riuscite a perdere, o di cui riconoscete l'affligente vanità e malinconia. Capisco, capisco. Rilascio i nervi. Accorato bisogno d'abbandonarvi. Vi sentite sciogliere vi abbandonate. Guardate nel cielo azzurro

na pace. Quà c'è soltanto l'immensa stupidità della terra e delle piante che vivono per vivere, e cosí soltanto come possiamo vivere. Se mai, la pace sarà in voi, e proviene dal fatto che siete usciti dalla vostra casa e dalla città, cioè da un mondo costruito, dove non si vive per vivere ma per qualche cosa che dà senso e un valore che quà, almeno in parte, riuscite a perdere, o di cui riconoscere l'affligente vanità; e vi vien languore, ecco, e malinconia, un accorato bisogno d' abbbandarvi alla primitiva stupidità bestiale. Vi sentite sciogliere.... Ah non aver piú coscienza d'essere come una pietra....

Guardate nel cielo azzurro

le bianche nuvole abbarbaglianti, che veleggiano gonfie di sole.
E non vi sembra già tutto.
Bella cosa, sí. E basta spiegarvi questa faccenda un
povero professoruccio di fisica. Ma a spiegarvi il perché dei perché?
Ma per arrivare a un comignolo signori miei.
È naturale che illusioni e
disinganni, speranze e desideri, dolori e gioie ci appaiono vani e transitori.
Già. Per esempio, che grida
di vittoria perché l'uomo,
come quel vostro cappellaccio, s'è messo a volare, a
far l'uccellino come vola.
L'avete visto?
Bravi. Lo dite quà per ora
questo.
Via, via, aspettate che vi
dia una mano per tirarvi su.
Siete grasso, voi aspettate:
sulla schiena v'è rimasto
qualche filo d'erba.... ecco
andiamo via.
XI Rientriamo in città.
Guardatemi ora questi alberi che scortano di quà e di
là, in fila lungo il marciapiedi questo nostro corso
di Porta Vecchia, che aria
smarrita, poveri alberi cittadini. Probabilmente gli alberi non pensano le bestie,

le nuvole bianche piene di
sole.

Ma non vi sembra già tutto.
Bella cosa. E basta spiegar
questa vicenda un povero
professoruccio di fisica; a
spiegare il perché dei perché?
Per arrivare a un comignolo signori.
Illusioni e disinganni, dolori e gioie, speranze e desideri come appaiono vani e
transitori.
Che grida di vittoria perché l'uomo s'è messo a volare, come un uccellino. Ma
ecco quà un uccellino come
vola.

Lo dite quà per ora questo.

Gli alberi non pensano; le
bestie non ragionano. Ah, se

probabilmente, non ragionano. Ma se gli alberi pensas-
sero, Dio mio, e potessero
parlare, chi sa che direbbero, questi poverelli, che per
farci ombra facciamo crescere in mezzo alla città.

gli alberi potessero pensare
e parlare, chi sa che pense-
rebbero e direbbero quelli
che per farci ombra, fac-
ciamo crescere in mezzo alle
nostre città, poveri alberi
tosati e pettinati. Avete veduto che aria smarrita hanno quelli che scortano per
un lungo tratto il nostro
corso di Porta Vecchia.

Quella piazzetta, e che silenzio strano, quando alle te-
gole nere e muschiose di
quel convento vecchio s'af-
faccia bambino azzurro, azzurro il riso della mattina.
Fanno la barba a questo vecchio selciato.
Ci vorrebbe un pò piú d'intesa tra l'uomo e la natura.

Quella piazzetta, e che silenzio.

Fanno la barba al selciato.

Ah ci vorrebbe, ci vorrebbe
veramente un pò piú d'intesa tra l'uomo e la natura.

Troppo spesso la natura si
diverte a buttare all'aria
tutte le nostre ingegnose
costruzioni. Cicloni, terre-
moti... Ma l'uomo non si dà
per vinto.

Si diverte un pò troppo
spesso la natura a mandare
all'aria tutte le nostre ingegnose costruzioni. Ora un ci-
clone... ora un terremoto...
Ma c'è questo di buono: che
l'uomo non si dà per vinto.

Perché ha in sé quella tal
cosa.
La natura ignara, forse, e,
almeno quando vuole, pa-
ziente.

Perché ha in sé quella certa
tal cosa.
La natura, spesso paziente,
talvolta però anche impa-
ziente... Troppo spesso,
troppo spesso impaziente
quà da noi.

(Il romanzo manca del brano accanto.)

Messina, Reggio, Avezzano,
Sora, abbattute... E b b e n e

coraggio: ricostruiremo. Ma
intanto, a pensarci, i tanti
e tanti morti, poveri morti? E piú sciagurati dei morti, i miseri scampati, ignudi
ora sulla terra, col pianto
nel cuore per i cari perduti,
per loro ogni bene perduto?
Anche per loro coraggio: ricostruiremo.

«Ricostruire» è la prima pubblicazione, sebbene
parziale, del romanzo *Uno, Nessuno e Centomila*. I
cambi operati nei due brani da Pirandello intaccano
largamente lo stile della costruzione. Forse una spie-
gazione di questo fatto può essere trovata nella data
di pubblicazione di questo numero della rivista *Sapientia*. Tale numero della rivista si deve ad una pubblicazione speciale in occasione del terremoto della Marsi-
ca. A tale occasione si può far risalire senz'altro il titolo
scelto, da Pirandello, «Ricostruire.»

Il tema della distruzione catastrofica dovuta al
terremoto è adombrato in tutto il brano citato e viene
presentato in modo alquanto preciso nella pubblicazione su *Sapientia*. La distruzione apportata dalla natura è messa in contrasto con la costruzione perficace
dell'uomo, che non solo costruisce sé stesso ma si serve
continuamente della natura per apportare nuove forme
di costruzione all'universo. È interessante notare come
il brano pubblicato su *Sapientia* contiene un discorso
che si fa piú semplice e piú scorrevole; sembra la narrazione di una novella, mentre nel romanzo si sente
come la presenza di un interlocutore nascosto a cui
Moscarda continuamente si rivolge non solo in forma
discorsiva ma anche in forma interrogativa. Non bi-

sogna dimenticarci che nel romanzo l'enfasi è nella pazzia di Moscarda mentre se ne fa poco cenno, se non del tutto, in «Ricostruire.»

Il lungo brano del romanzo che descrive la pace della natura e la realtà oggettiva degli animali e delle piante è ampiamente raccorciato e ridotto ai minimi termini in *Sapientia*. L'unico motivo che si possa pensare per questa drastica riduzione è appunto la ragione per cui Pirandello scrive sulla rivista in quel determinato periodo storico. Il riferimento al terremoto è cosí lampante nella conclusione di «Ricostruire» e non resta altro che accettare la possibilità che Pirandello si sia servito del brano tratto dal romanzo *Uno, Nessuno e Centomila* per scrivere su *Sapientia* dopo aver apportato certi adattamenti stilistici necessari per richiamare l'attenzione dei lettori al problema che aveva scosso la coscienza nazionale. I temi discussi sia nel romanzo e sia nel brano citato non cambiano, anzi rimanendo gli stessi diventano piú espliciti in «Ricostruire» per la mancanza dei sillogismi di Moscarda e per una certa fluidità espressiva, che ricorda moltissime pagine delle novelle.

2. *Uno, Nessuno e Centomila* e «*Marco di Dio e sua moglie Diamante*»

Il secondo brano di cui esamineremo le varianti proviene dalla *Rivista di Firenze*: «Marco di Dio e sua moglie Diamante» e corrisponde al capitolo I del libro IV del romanzo *Uno, Nessuno e Centomila*.

UNO, NESSUNO E CENTOMILA	MARCO DI DIO E SUA MOGLIE DIAMANTE
Tanti lo ricordano come uno selvaggio, apena venuto dalla campagna di Richieri.	Marco di Dio era inventore. Tanti lo ricordano come un selvaggio, appena venuto dalla campagna di Richieri.

UNO, NESSUNO E CENTOMILA

Ora siamo giusti: Bestia, sí; schifosissima, in quell'atto; ma per tanti atti onestamente attestati, non era piú forse Marco di Dio anche quel buon giovane che il suo maestro dichiarò d'aver sempre conosciuto nel suo sbozzatore? So che offendo con questa la vostra moralità. Difatti mi rispondete che se in Marco di Dio potè sorgere una tale tentazione è segno evidentemente che egli non era quel buon giovane che il suo maestro diceva. Potrei farvi osservare intanto, che di simili tentazioni (e anche di piú turpi) sono pur piene le vite dei santi. I santi le attribuivano alle «demonia» e con l'aiuto di Dio, potevano vincerle. Cosí anche i freni che abitualmente imponete a voi stessi impediscono di solito a quelle tentazioni di nascere in voi, o che in voi scappi fuori all'improvviso il ladro o l'assassino.
La crosta della vostra abituale probità.
Benissimo. Lui. Ma vedete?
Non però quanto a realtà, vi prego di credere.
Sorpreso in quell'atto di un momento, fu condannato per sempre.

MARCO DI DIO E SUA MOGLIE DIAMANTE

Ora, siamo giust: che aveva da vedere quella bestia col buon giovine che il suo maestro dichiarò di aver sempre conosciuto nel suo sbozzatore per tanti e tanti atti uno piú onesto dell'altro? Voi rispondete che il solo fatto che una tale tentazione può sorgere in lui dimostra che non era quel buon giovine che il suo maestro diceva. Vi faccio intanto osservare che di simili tentazioni, e anche di piú turpi, sono pur piene le vite dei santi. I santi le attribuivano «alle demonia» e, con l'aiuto di Dio potevano scacciarle. Cosí anche la costruzione che abitualmente voi fate di voi stessi impedisce di solito che esse nascono in voi; che cioè il satiro o il ladro o l'assassino in voi all'improvviso.

La crosta della vostra abituale onorabilità.
Benissimo. Ma vedete?
Ma a quanto realtà, vi prego di credere.
Ma fu sorpreso in quell'atto di un momento e condannato per sempre.

UNO, NESSUNO E CEN-TOMILA	MARCO DI DIO E SUA MOGLIE DIAMANTE
A braccetto con una donna, la quale un bel giorno era venuta con lui.	A braccetto con una donna, divenuta poi sua moglie, la quale un bel giorno era venuta con lui.
«Cessi inodori per paesi senz'acqua nelle case».	«Cessi inodori per paesi senz'acqua corrente nelle case».
Ridete? La loro serietà era cosí truce per questo; dico, perché tutti ne ridevano. Era anzi feroce. E tanto piú feroce diventava quanto piú crescevano, attorno ad essi le risa.	Voi ridete? E perciò la loro serietà era cosí truce, anzi feroce; e tanto feroce diventava, quanto piú crescevano attorno ad essi le risa.

Questo brano appare pochi mesi prima della pubblicazione del romanzo su *Fiera Letteraria* perciò i cambi effettuati hanno poco valore stilistico e tematico. I pochi cambi che Pirandello opera nel brano pubblicato su *Rivista di Firenze* sono dovuti ad un adattamento stilistico per cui il capitolo I del libro IV del romanzo *Uno, Nessuno e Centomila* è capace di stare su due piedi come una qualsiasi novella. Questa caratteristica si è già notata precedentemente col brano «Ricostruire» e si può affermare per diversi brani del romanzo. Il brano centrale del racconto è però ridotto da Pirandello quando viene pubblicato sulla rivista, ma la riduzione nulla toglie al valore tematico del brano in questione.

Il motivo alla base della pubblicazione di «Marco di Dio e sua moglie Diamante» in *Rivista di Firenze* può essere trovato nell'introduzione fatta dal redattore. Il brano vuol essere un saggio del prossimo romanzo ed allo stesso tempo un omaggio degli italiani allo scrittore siciliano per le idee universali e caldamente umane espresse dalla sua opera. Pirandello nel 1925 è ormai riconosciuto uno dei maestri dell'unamità ed il redattore introducendo questo brano del romanzo su *Rivista di Firenza* fa notare questa verità invitando i lettori ad una lettura attenta e le Muse ad una continua vigilanza sul nostro autore.

3. *Uno, Nessuno e Centomila* e la pubblicazione su *Fiera Letteraria*

UNO, NESSUNO E CENTOMILA	UNO, NESSUNO E CENTOMILA su FIERA LETTERARIA
Le mie sopracciglie parevano sugli occhi duc accenti circonflessi (^^), le mie orecchie erano attacate male (p. 1283).	Le mie sopracciglie parevano sugli occhi due accenti circonflessi, due accenti circonflessi, tra una virgola e l'altra, le mie orecchie erano attacate male.
I miei sentimenti hanno un naso. Il mio naso (p. 1293). VII Filo d'Arianna. Io seggo quà. Dite di no? — Perché? — (p. 1307). Non avete parlato turco. Abbiamo usato io e voi la stessa lingua (p. 1309). E tutti restarono quasi biasiti, quand'io strappando indietro due o tre di quei commessi (p. 1352). La concitata severità di Quantorzo mi irritava (p. 1353). Le cose (p. 1353). Quelli che vogliono sopraffare (p. 1354). Imporre altro che parole (p. 1354).	I miei sentimenti hanno un naso. Sicuro il mio naso. VII Filo d'aria. Io seggo quà. — No? Perché? — Non avete parlato turco. No. Abbiamo usato io e voi la stessa lingua. E tutti restarono quasi biasiti, quand'io strappando indietro due o tre per cacciarmi in mezzo. La concitata severità di Quantorzo ora mi irritava. Le cose intorno. Chi vuol sopraffare. Imporre nient'altro che parole.

UNO, NESSUNO E CEN-TOMILA	UNO, NESSUNO E CEN-TOMILA su FIERA LETTE-RARIA
A persuadere agli altri che tu sei come ti vede lui (p. 1354).	A persuadere agli altri due che tu sei come ti vede lui.
Andate, andate a sentirli parlare. Li tenete chiusi perché cosí vi conviene (p. 1356).	Andate, andate là, dove li tenete chiusi, perché vi conviene.
Quello che mi serve? (p. 1358).	Quello che mi bisogna?
(Questa edizione manca del brano accanto.)	Perché io sono lí, presente apposta, allo sfratto, protetto da un delegato e da due guardie. — Usuraio, usuraio —.
«Questo puzzo... lo sento» (p. 1367).	«Lo sento».
Perché la gente mi guarda (p. 1367).	Perché la gente guarda.
Scoppio di riso (p. 1370).	Sbotto di riso.
Monastero... convento (p. 1391).	Convento... monastero.
La ragione per cui mi tenevo lontano, da Anna-Rosa; e tanto vera anche per Anna-Rosa, che le occhiate che qualche volta... (p. 1395).	La ragione per cui mi tenevo lontano da Anna-Rosa, che le occhiate che qualche volta...
VII Un colloquio con Monsignore (p. 1401).	VII Colloquio con Monsignore.
Un uomo non comune, singolare dall'altra gente; da cui ci si poteva aspettare (p. 1409).	Un uomo non comune; da cui ci si poteva aspettare.
Ogni mio avere (p. 1414).	Ogni mio bene.
Nessun nome. Nessun ricordo (p. 1415).	Nessun nome. Nessun nome. Nessun ricordo.

Le varianti finora considerate sono quelle esistenti tra la pubblicazione di *Uno, Nessuno e Centomila* su *Fiera Letteraria* e l'edizione finale della Mondadori. I cambi effettuati tra queste due differenti pubblicazioni del romanzo sono di pochissima, se non del tutto nulla, importanza per la tematica e lo stile del romanzo. Con l'apparizione su *Fiera Letteraria* (1925-1926) *Uno, Nessuno e Centomila* ha ormai raggiunto la propria forma definitiva in cui sarà presentato ai lettori. Questo romanzo cosí terminato da Pirandello è diventato non solo un patrimonio permanente della letteratura italiana ma un altro documento morale per tutti coloro che accettano nella loro umiltá gli insegnamenti dei grandi.

B. LE NOVELLE E I DRAMMI

È interesante osservare come molte delle novelle di Pirandello sono all'origine di diversi dei suoi drammi. Manlio Lo Vecchio Musti, *L'opera di Luigi Pirandello*, Torino, 1939 (pp. 154-58 e passim sino a p. 253) presenta un'analisi dettagliata del rapporto tra novelle e drammi.

DRAMMI	NOVELLE
La morsa (1898).	*La paura* (1897).
Lumie di Sicilia (1910).	*Lumie di Sicilia* (1900).
Il dovere del medico (1911).	*Il dovere del medico* (1908).
Pensaci Giacomino... (1916).	*Pensaci Giacomino...* (1910).
Il berretto a sonagli (1917).	*Certi obblighi* (1912) e *La verità* (1912).
La giara (1917).	*La giara* (1909).
La patente (1917).	*La patente* (1917).
Cosí è (se vi pare) (1917).	*La signora Frola e il Signor Ponza suo genero* (1915).
Il piacere dell'onestà (1917).	*Tirocinio* (1905).

DRAMMI	NOVELLE
Ma non è una cosa seria (1918).	*La signora Speranza* (1903) e *Non è una cosa seria* (1911).
Il giuco delle parti (1918).	*Quando si è capito il giuoco* (1913).
L'uomo, la bestia, la virtú (1919).	*Richiamo all'obbligo* (1911).
Tutto per bene (1919).	*Tutto per bene* (1906).
Come prima, meglio di prima (1920).	*La veglia* (1904).
La signora Morli, una e due (1920).	*Stefano Giogli, uno e due* (1909) e *La morta e la viva* (1910).
Sei personaggi in cerca d'autore (1921).	*La tragedia di un personaggio* (1911) e *Colloquio coi personaggi* (1915).
L'imbecille (1922).	*L'imbecille* (1912).
L'uomo dal fiore in bocca (1923).	*La morte adosso* (1919).
La vita che ti diedi (1923).	*La camera in attesa* (1916) e *I pensionati della memoria* (1914).
L'altro figlio (1923).	*L'altro figlio* (1905).
Sagra del Signore della Nave (1924).	*Il Signore della Nave* (1915).
Bellavita (1927).	*L'ombra del rimorso* (1914).
L'amica delle mogli (1927).	*L'amica delle mogli* (1894).
O di uno o di nessuno (1928).	*O di uno o di nessuno* 1914).
Questa sera si recita a soggetto (1929).	*Leonora addio* (1910).
La favola del figlio cambiato (1933).	*Il figlio cambiato* (1902).
Non si sa come (1934).	*Nel gorgo* (1913), *Cinci* (1932) e *La realtà del sogno* (1914).

BIBLIOGRAFIA

Abete, Giovanna. *Il vero volto di Luigi Pirandello*. Roma: Azienda beneventana tipografica, 1961.

Aglianò, Sebastiano. «I personaggi pirandelliani sono nati in Sicilia.» *Rinascita*, IV (1947): 190-194.

Allavena, Oreste. *Pirandello. Dalla narrativa al dramma*. Savona: Stabilimento tipografico Priamor, 1970.

Allport, Gordon. *Personality: a psychological interpretation*. New York: Harper & Row, 1937.

Alonge, Roberto. «Pirandello dalla narrativa al teatro.» *Comunità*, 22 (1968): 113-121.

— *Pirandello tra realismo e mistificazione*. Napoli: Guida, 1972.

Alvaro, Corrado. «Prefazione.» *Novelle per un anno*. Milano: Mondadori, 1956.

Amici, Gualtiero. «Giustificazione per Luigi Pirandello.» *Silarius*, 7: 32-36.

Anceschi, Luciano. *Le poetiche del novecento in Italia*. Firenze: Valecchi, 1962.

Andersson, Gösta. *Arte e Teoria del giovane Luigi Pirandello*. Stockholm: Almeuist & Wiksell, 1966.

Apollonio, Mario. *Attualità di Pirandello*. Roma-Milano, U.I.P.C., 1969.

Arcamone, Mario. *Il personaggio pirandelliano*. Napoli: Morano, 1938.

Aste, Mario. «*Uno, Nessuno e Centomila*: Sintesi tematica e stilistica;» Diss. Catholic University: Washington D.C., 1971.

Baccolo, Luigi. *Luigi Pirandello*. Milano: Emiliano degli Orfini, 1949.

Barbina, Alfredo. *Bibliografia della critica pirandelliana: 1889-1961*. Firenze: Le Monnier, 1967.

— «Capuana, Pirandello, e un romanzo.» *Giornale Italiano di Filologia*, 23 (1971): 141-151.

Barilli, Renato. *La barriera del naturalismo*. Milano: Mursia, 1964.

— *La linea Svevo-Pirandello*. Milano: Mursia, 1972.

Bartocci, Gianni. «Pirandello romanziere.» *Fenarete*, 21, I, 5-10.

Bartolucci, Giuseppe. *La didascalia drammaturgica: Praga, Marinetti, Pirandello*. Napoli: Guida, 1973.

Battaglia, Salvatore: «Il senso della vita nei racconti di Luigi Pirandello.» *Filologia e Letteratura*, IX (1963): 1-4.

Becker, George. *Documents of modern literary realism*. Princeton, N.J.: Princeton University Press, 1963.

Bentley, Eric. *The life of the drama.* New York: Athenaum, 1967.
Bernardelli, Francesco. «I sette romanzi di Luigi Pirandello.» *La Stampa*, 25-5-1939.
Biasin, Gian Paolo. «Lo specchio di Moscarda.» *Paragone*, 268 (1972): 44-68.
Binni, Walter. *La poetica del decadentismo.* Firenze: Sansoni, 1949.
Bishop, Thomas. *Pirandello and the French Theatre.* New York: New York University Press, 1960.
Blachham, H. J. *Reality, man and existence: essential works of existentialism.* New York: Bantam Books, 1965.
Blanc, Nicole. *I rapporti difficili nel teatro di Pirandello.* Agrigento: Dioscuri, 1969.
Bonanate, Mariapia. *Luigi Pirandello.* Torino: Borla, 1972.
Bonanni, Francesca. *Pirandello poeta. Motivi della poesia pirandelliana.* Napoli: Editrice Rispoli Anonima, 1966.
Boni, Marco. «La formazione letteraria di Pirandello.» *Convivium* (1948): 321-355.
Borlenghi, Aldo. *Pirandello o dell'ambiguità.* Padova: Radar, 1968.
Bosco, Umberto. «Cammino di Pirandello.» *Celebrazione del Imo Centenario della nascita di Luigi Pirandello.* Roma: Accademia Nazionale dei Lincei, 1969.
Bosetti, Gilbert. *Pirandello.* Paris: Bordas, 1971.
Boza Masvidad, Aurelio. *La dramatica de Shaw y Pirandello.* Habana: Cultural, 1935.
Branca, Vittore et al. *Civiltà letteraria d'Italia.* 3 vols. Firenze: Valecchi, 1964.
Bracco, Giorgio. *Pirandello: Uno, Nessuno e Centomila.* Roma: Mascilongo, 1969.
Büdel, Oscar. *Pirandello.* London: Bowes & Bowes, 1969.
Caioli, Ferdinando. *L'avventura di Pirandello.* Catania: Giannota, 1969.
Calendoli, Giovanni. *Luigi Pirandello.* Roma: Editalia, 1962.
Cambon, Gauco, ed. *Pirandello: a collection of critical essays.* Englewood Cliffs, N.J.: Prentice Hall, 1967.
Camus, Albert. *The myth of Sisyphus.* New York: Random House, 1955.
Cantoro, Umberto. *L'altro me stesso.* Verona: Edizioni l'Albero, 1939.
— *Luigi Pirandello e il problema della personalità.* Bologna: Gallo, 1964.
Caprin, Giulio. «Colloqui con Pirandello.» *La lettura*, 1 marzo 1927, 161-168.
Caputo, Remo. «I vecchi e i giovani: L'occasione critica di Pirandello.» *Trimestre*, 5 (1972): 443-466.
Sarrabino, Victor. *Pirandello and Picasso — a pragmatic view of reality.* Parma: C.E.M., 1974.
Caserta, Ernesto. «Croce, Pirandello e il problema estetico.» *Italica*, 51 (1974): 20-42.
Cecchi, Emilio et al. *Storia della letteratura italiana,* 3 vols. Milano: Fratelli Troveo, 1968.
Chaix Ruy, Jules. *Luigi Pirandello.* Paris: Editions Universitaires, 1970.

— *Luigi Pirandello, humour et poésie.* Paris: Les Editions Mondiales, 1967.

Chieppa, Vincenzo. *Pirandello e Sartre.* Firenze: Kursaal, 1967.

Ciarletta, Nicola. *Temi di Pirandello.* L'Aquila: L.U. Japadre, 1967.

— *D'Annunzio e Pirandello.* Urbino: Argalia, 1963.

Circeo, Ermanno. «Pirandello e Leopardi.» *Rassegna di cultura e vita scolastica,* 25, V-VI: 5.

Colombo, Giuseppe. *Aspetti religiosi della letteratura contemporanea.* Milano: Vita e Pensiero, 1937.

Congresso Internazionale di Studi Pirandelliani. Firenze: Le Monnier, 1967.

Cordié, Carlo. «Bibliografia della critica pirandelliana (1889-1961).» *Scuola e cultura nel mondo,* 51 (1968): 13-23.

Crifo, Cosmo. «Luigi Pirandello: Storia di un dissidio.» *Nuovi Quaderni del Meridione,* 8 (1970): 164-169.

— «Pirandello alle origini.» *Labor* (1961): I.

Croce, Benedetto. «Luigi Pirandello.» *La critica,* XXIII (1935).

Cudini, Piero. «*Il Fu Mattia Pascal*: Dalle fonti chamissiane e zoliane alla prima struttura narrativa di Luigi Pirandello.» *Belfagor,* 26 (1971): 702-703.

D'Alberti, Sarah. *Pirandello romanziere.* Palermo: Faccovio, 1967.

Davis, Robert Murray. *The novel: Modern essays in criticism.* Englewood Cliffs, N.J.: Prentice Hall, 1969.

De Bella, Nino. *Pirandello oggi.* Roma: Ciranna, 1970.

De Castris, Leone A. *Decadentismo e Realismo: note e discussione.* Bari: De Donato, 1959.

— *Il Decadentismo italiano: D'Annunzio, Svevo, Pirandello.* Bari: De Donato, 1974.

— «Ragione ideologica e proiezione del personaggio senza autore.» *Convivium,* II, 1962.

— *Storia di Pirandello.* Bari: Laterza, 1962.

Della Fazia, Abba Marie. *Luigi Pirandello and Anouilh.* Ann Arbor: University Microfilms, 1954.

De Lubac, Henri. *The discovery of God.* Chicago: Henry Regney, 1960.

Di Pietro, Antonio. *Pirandello.* Milano: Vita e Pensiero, 1941.

Dondoli, Luciano. «Considerazioni sulla validità di Pirandello.» *Scuola e Cultura nel Mondo,* 47 (1967): 21-29.

Dumar, Guy. *Le theatre de Pirandello.* Paris: L'Arche, 1967.

Ellman, Richard, ed. *The modern tradition: backgrounds of modern literature.* New York: Oxford University Press, 1965.

Esposito, Vittoriano. *Pirandello poeta lirico.* Brescia: Magalini, 1968.

— *Saggi polemici....* Avezzano: Eirene, 1971.

Felcini, Furio. «Pubblicazioni pirandelliane.» *Studium,* 64 (1968): 156-159.

Fergusson, Francis. *The idea of theatre.* Garden City, N.J.: Doubleday & Co., 1964.

Ferrante, Luigi. *Luigi Pirandello.* Firenze: Parenti, 1958.

— *Pirandello e la riforma teatrale.* Parma: Guanda, 1969.

Ferrara, Mario. *Luigi Pirandello. Profilo critico.* Roma: Ciranna, 1968.

Fiocco, Achille. «Luigi Pirandello e la letteratura contemporanea.» *Nuova Antologia*, dicembre 1946, 313-327.

Flora, Francesco. *Dal romanticismo al futurismo*. Milano: Modernissima, 1925.

— *Storia della letteratura italiana*, 3 vols. Milano: Mondadori, 1942.

Foresta, Gaetano. «Pirandello e Unamuno.» *Nuovi Quaderni del Meridione*, 11, 15-33.

Freira, Natercia. «Pirandello da ambiguidade á lógica do absurdo.» *Diario de Noticias, Arte e Letras*, 9 settembre 1967.

Frye, Northrop. *Anatomy of criticism*. Princeton, N.J.: Princeton University Press, 1957.

Gancia Battaglia, Giuseppe. *Luigi Pirandello. Saggio storico-critico*. Palermo: Organizzazione editoriale, 1967.

Gardair, Jean Pierre. *Pirandello, fantasmes et logiques du double*. Paris: Larousse, 1972.

Genot, Gerard. *Pirandello*. Paris, Seghers, 1970.

Gentile, Giovanni. «Luigi Pirandello.» *Quadrivio*, 20 dicembre 1936.

Giacalone, Giuseppe. *Luigi Pirandello*. Brescia: La Scuola, 1969.

Giammattei, Carmine. «Vocazione tragica e religiosità di Pirandello.» *Commemorazione* tenuta il giorno 9 settembre 1968 in Pompei.

Gifford, Henry. *The novel in Russia, from Pushkin to Pasternak*. New York: Harper & Row, 1964.

Giudice, Gaspare. *Luigi Pirandello*. Torino: U.T.E.T., 1963.

— *Pirandello a biography*, transl. by Alastair Hamilton. London: Oxford University Press, 1975.

Gramsci, Antonio. «Il teatro di Luigi Pirandello.» *Letteratura e vita nazionale*. Torino, 1950.

Guasco, Cesare. *Ragioni e miti nell'arte di Luigi Pirandello*. Roma: Editoriale Arte e Storia, 1954.

Guglielmini, Homero. *El teatro del disconfortismo*. Buenos Aires: Editorial Nova, 1967.

Heidegger, Martin. *Existence and being*. Chicago: Henry Regnery Co., 1949.

Hopper, Stanley R., ed. *Spiritual problems in contemporary literature*. New York: Harper & Row, 1957.

Istituto di Studi Pirandelliani. *Quaderni dell'Istituto di studi pirandelliani*. Roma (1—...), 1973.

Italia, Federico. *L'esistenza umana secondo Luigi Pirandello*. Roma: Tipografia Don Orione, 1968.

Janner, Arminio. *Luigi Pirandello*. Firenze: La Nuova Italia, 1969.

Josepheson, Eric, et al., ed. *Man alone. Alienation in modern society*. New York, Dell Publising Co., 1962.

Josia, Vincenzo. *Pirandello estudio y antología*. Madrid: Compañía Bibliográfica Española, 1970.

Kaufman, Waller, ed. *Existentialism from Dostoevsky to Sartre*. Cleveland: The World Publishing Co., 1956.

Kuehne, Alyce de. «La realidad existencial y la realidad creada en Pirandello y Salvador Novo.» *Latin American Theater Review*, 2, I (1968): 5-14.

Künzle, Brügger, Maria. *Le didascalie nel teatro di Pirandello.* Lugano: Tell, 1952.
Landi, Stefano. «La vita ardente di Luigi Pirandello.» *Quadrivio,* 13-12-1936.
Lanza, Giuseppe, ed. *Luigi Pirandello. La giara e altre novelle.* Milano: Mondadori, 1968.
Lauretta, Enzo. *I miti di Pirandello.* Palermo: Palumbo, 1975.
— *Pirandello umano e irreligioso.* Milano: Edizioni Gastaldi, 1954.
Lawrence, Kenneth. «Luigi Pirandello: holding nature up to the mirror.» *Italica,* vol. 47, no. 1, Spring, 1970.
Lepp, Ignace. *The depth of the soul.* New York: Doubleday & Co., 1966.
Licastro, Emanuele. «La funzionalità del cerebralismo: Da *La camera in attesa* a *La vita che ti diedi.*» *Italica,* 51 (1974): 236-248.
— *Luigi Pirandello. Dalle novelle alle commedie.* Verona: Fiorini, 1974.
Lombardi, Olga. *Stile drammatico di Luigi Pirandello.* Pescara: Casa Editrice Giacomo Matteotti, 1938.
Lopez, Robert. «Pirandello old and new.» *Yale Review,* 60 (1970): 228-240.
Lo Vecchio Musti, Manlio. *Bibliografia di Luigi Pirandello,* II, ed. Milano: Mondadori, 1952.
— *L'opera di Luigi Pirandello.* Torino: Paravia, 1939.
Lozito, Antonio. *Storia di un personaggio pirandelliano.* Bari: Laterza, 1969.
Lucas, Frank Lawrence. *The drama of Chekhov, Synge, Yeats, and Pirandello.* London: Cassel, 1965.
Lugnani, Lucio. *Pirandello letteratura e teatro.* Firenze: La nuova Italia, 1970.
MacClintock, Lander. *The age of Pirandello.* Bloomington: Indiana University Press, 1951.
Macchia, Giovanni. *La caduta della luna.* Milano: Mondadori, 1973.
— «Pirandello e l'addio al romanzo.» *Corriere della sera,* 9 agosto 1967.
Maira, Salvatore. «Ideologica e tecnica della narrativa di Luigi Pirandello.» *Nuovi Argomenti,* 29-30 (1972): 187-224.
Marcel, Gabriel. *L'uomo problematico.* Torino: Paravia, 1964.
— *Man against mass society.* Chicago: Henry Regnery Co., 1962.
Marconi, Ennio. *La finzione scenica.* Parma: Maccari, 1969.
Martini, Magda. *Pirandello ou la philosophie de l'Absolu.* Genéve: Editions Laboreet Gides, 1969.
Martini, Virgilio. «Pirandello a casa.» *Fiera Letteraria,* 7-1-1932.
Mattei, Guido. *La religiosità di Luigi Pirandello.* Milano: Gastaldi, 1950.
Matthaei, Renate. *Luigi Pirandello,* transl. by Simon and Erika Young. New York: F. Ungar Publishing Co., 1973.
Mazzamuto, Pietro. *L'arrovello dell'arcolaio: studi su Pirandello agrigentino e dialettale.* Palermo: Flaccovio, 1974.
Mazzali, Ettore. *Luigi Pirandello.* Firenze: La nuova Italia, 1973.
Mensi, Pietro. *La lezione di Pirandello.* Firenze: Le Monnier, 1974.

Michaud, Guy. *Message poétique du Symbolism*, 3 vols. Paris: Editions Mondilaes, 1943.

Mignosi, Pietro. *Il segreto di Pirandello*. Milano: Tradizione editrice, 1935.

Mirmina, Emilia. *Pirandello novelliere*. Ravenna: Longo, 1973.

Moestrup, Jorn. *The structural pattern of Pirandello's work*. Odense: Odense Universitetsforleg, 1972.

— «La diversa funzione di novella e dramma nell'opera di Pirandello.» *Analecta Romani Instituti Danici*, 5 (1969): 199-239.

Monner Sans, José María. *El teatro de Pirandello*. Buenos Aires: Imprenta López, 1936.

Monti, Silvana. *Pirandello*. Palermo: Palumbo, 1974.

Moscato, Alberto. *Intenzionalità e dialettica*. Firenze: Le Monnier, 1969.

Munafò, Gaetano. *Conoscere Pirandello*. Firenze: Le Monnier, 1968.

Nardelli, Federico. *L'uomo segreto. Vita e croci di Luigi Pirandello*. Milano: Mondadori, 1932.

Navarria, Aurelio. *Pirandello prima e dopo*. Milano: Quaderni dell'Osservatore, 1971.

Neglia, Erminio. «Curiosità pirandelliana.» *Forum Italicum*, 4 (1970): 208-210.

Neumann, Erich. *Art and the creative unconscious*. New York: Harper & Row, 1959.

— *The origin and history of consciousness*. New York: Harper & Row, 1954.

Newberry, Wilma. *The Pirandellian mode in Spanish literature from Cervantes to Sartre*. Albany, N.Y., New York University Press, 1973.

Pacifici, Sergio. *A guide to contemporary Italian literature*. Cleveland: The World Publishing Co., 1962.

Padellaro, Giuseppe. *Trittico siciliano. Verga, Pirandello. Quasimodo*. Milano: Rizzoli, 1969.

Padovano, Antony. *The estranged God. Modern Man search for belief*. New York: Sheed & Ward, 1966.

Pagliari, Antonino. «Teoria e prassi linguistica di Luigi Pirandello.» *Bolletino del Centro di Studi Filologici e linguistici siciliani*, 10 (1969): 249-293.

Pancrazi, Pietro. *Scrittori d'oggi*. Bari: Laterza, 1946.

— *Scrittori del novecento*. Bari: Laterza, 1936.

Paolucci, Anne. «Pirandello: Experience as the expression of will.» *Forum Italicum*, 7: 404-414.

— *Pirandello's theater; the recovery of modern stage for dramatic art*. Carbondale: Southern Illinois University Press, 1974.

Pardieri, Giuseppe. *Luigi Pirandello. Il pensiero e il sentimento*. Milano: Mursia, 1961.

Passeri Pignoni, Vera. «Il pensiero filosofico di Pirandello.» *Sapienza*, 20 (1967): 477-503.

Pedicini, Raffaele. *Interpretazioni: S. Francesco d'Assisi, P. B. Shelley, G. Carducci, M. Rapiardi, L. Pirandello*. Napoli: Editrice Rispoli, 1941.

Pirandello, Luigi. *Opere*, 6 vols. Milano: Mondadori, 1965.

— «Marco di Dio e sua moglie Diamante.» *Rivista di Firenze*: febbraio 1925.
— «Ricostruire.» *Sapientia*. Gennaio 1915, no. I.
— «Uno, Nessuno e Centomila.» *La Fierra Letteraria*. 1-12-1925 — 13-6-1926.
Piroué, Georges. *Pirandello, essai*. Paris: Denoël, 1967.
Plier-Magitteri, Liliana. «Alcune caratteristiche del vocabolario di Pirandello.» *Equivalences*, 3, II: 16-21.
Poletto, Paolo, ed. *Pirandello: «Il Fu Mattia Pascal»: Sunti-commenti, analisi dei personaggi, curiosità pirandelliane*. Roma: Le Muse, 1971.
— *Pirandello: Novelle. Sunti-commento, analisi dei personaggi, curiosità pirandelliane*. Roma: Le Muse, 1971.
Pomilio, Mario. «La formazione di Pirandello e la ricerca di una espressione poetica attraverso una 'riottosa vena poetica'.» *Realità del Mezzogiorno*, II (1971): 565-583.
— «Un intervento di Pirandello sulla questione della lingua.» *Bolletino del Centro di Studi Filologici e Linguistici Siciliani*, II (1970): 414-421.
Providenti, Elio. «Note di bibliografia sulle opere giovanili di Luigi Pirandello.» *Belfagor*, 23 (1968): 721-740.
Puglisi, Filippo. *L'arte di Luigi Pirandello*. Firenze: Casa editrice d'Anno, 1958.
— *Pirandello e la sua lingua*. Bologna: Capelli, 1962.
— *Pirandello e la sua opera innovatrice*. Catania: Bonnanno, 1970.
Pullini, Giorgio. *Narratori italiani del novecento*. Padova: Livana editrice, 1959.
Radcliff-Umstead, Douglas. «Pirandello e il romanzo dell'alienazione.» *Alla bottega*, 10 (1972): 24-29.
Ragusa, Olga. «Pirandello and Verga.» *Le parole e le idee*, 10 (1968): 31-52.
— *Luigi Pirandello*. New York: Columbia University Press, 1968.
Ramírez, Octavio. *El teatro de Pirandello, crítica*. Buenos Aires: El Ateneo, 1927.
Rauhut, Franz. *Der junge Pirandello*. München: C. H. Beck, 1964.
Roffaré, Francesco. *L'essenzialità problematica e dialettica del teatro di Pirandello*. Firenze: Le Monnier, 1972.
Romanato, Gaetano. *Tre dimensioni: Umanità e poesia di Dante, Manzoni, Pirandello*. Milano: La Prora, 1970.
Romano, Salvatore Franco. *Dialettica della letteratura contemporanea*. Palermo: Sandron, 1938.
Russel, Bentrand. *Storia della filosofia occidentale*, 4 vols. Milano: Mondadori, 1966.
Russo, Luigi. *Giovanni Verga*. Bari: Laterza, 1959.
— *Narratori: 1850-1957*. Milano: Ed. Principato, 1958.
— «Il noviziato letterario di Luigi Pirandello.» *Ritratti e disegni storici*, serie IV. Bari, 1953.
Sacrapante, Paolo. *Luigi Pirandello*. Catania: N. Giannotta, 1969.
Salinari, Carlo. *Luigi Pirandello*. Napoli: Liguori, 1968.
— «Luigi Pirandello fra ottocento e novecento.» *Rivista di studi Salernitani*, I (1968): 3-18.

— *Miti e coscienza del decadentismo italiano.* Milano: Feltrinelli, 1962.
Sajeza, Antonino. *A Girgenti con Luigi Pirandello.* Biella: Tipografia Maula, 1968.
Santayana, George. *Interpretation of poetry and religion.* New York: Harper & Row, 1957.
Sapegno, Natalino. *Compendio di storia della letteratura italiana,* 3 vols. Firenze: La nuova Italia, 1964.
Scrivano, Riccardo. *Il decadentismo e la critica.* Firenze: Le Monnier, 1963.
Seroni, Adriano. *Il decadentismo.* Palermo: Palumbo, 1964.
Severi, Francesco. «Pirandellismo nella scienza.» *Corriere della sera,* 13-3-76.
Smith, Wilfrid C. *The meaning and end of religion.* New York: Harper & Row, 1962.
Starkie, Enid. *From Gautier to Eliot.* London: Oxford University Press, 1969.
Starkie, Walter. *Luigi Pirandello.* London: Oxford University Press, 1963.
Stromberg, Roland N., ed. *Realism, Naturalism and Symbolism: modes of thought and expression in Europe 1848-1915.* New York: Harper & Row, 1968.
Studi e problemi di critica testuale. Convegno di studi e di filologia italiana nel centenario della commissione per i testi di lingua. Bologna: Capelli, 1961.
Taniguchi, Isamu. «Critica di Pirandello sulla 'Poesia di Dante' di Croce.» *Studi Italici* (Kyoto), 16 (1967): 8-22.
Terron, Carlo. «Luigi Pirandello, come prima meglio di prima.» *Lo smeraldo: Rivista letteraria di cultura.* Milano, anno XVI, no. 2, 30-3-1962.
Tilgher, Adriano. *Studi sul teatro contemporaneo.* Roma: Libreria di scienze e lettere, 1923.
— «Le estetiche di Luigi Pirandello.» *Raccolta,* anno XI, no. I, 1940.
Terraccini, Benvenuto. *Analisi stilistica. Teoria, storia, problemi.* Milano: Mursia, 1966.
Titta, Rosa. «Uno, Nessuno e Centomila.» *Fiera Letteraria,* no. 27, giugno 1926.
Tonelli, Luigi. *Alla ricerca della personalità.* Milano: Modernissima, 1923.
Vené, Gianfranco. *Pirandello fascista.* Milano: Sugar, 1971.
Vicentini, Claudio. *L'estetica di Luigi Pirandello.* Milano: Mursia, 1970.
Virdia, Ferdinando. *Invito alla lettura di Luigi Pirandello.* Milano: Mursia, 1975.
Vittorini, Domenico. *The modern italian novel.* Philadelphia: University of Pennsilvania Press, 1930.
— *The drama of Luigi Pirandello.* Philadelphia: University of Pennsilvania Press, 1969.
Wagar, Warren, ed. *Science faith and man.* New York: Harper & Row, 1968.

Weiss, Aureliu. *Le theatre de Luigi Pirandello dans le mouvement dramatique contemporain: essai*. Paris: Libraire, 1964.

Wellek, René. *Concept of criticism*. New Haven: Yale University Press, 1963.

— *Theory of Literature*. New York: Harcourt & Brace & World, 1956.

Zoja, Nello. *Pirandello*. Brescia: Morcelliana, 1954.

INDICE ANALITICO

D

D'Alberti, Sarah, 27, 29, 30.
Dal naso al cielo, 13, 74, 75.
D'Annunzio, Gabriele, 8, 11, 26.
De Castris, Leone A., 16, 17, 29, 31, 34, 35.
De Sanctis, Francesco, 9.
Dialoghi tra il piccolo me e il gran me, 59.
Diana e la Tuda, 74, 75, 118, 120, 121.
Di guardia, 15.
Difesa del Meola (La), 1, 15, 48-51, 54.
Di sera un geranio, 20, 99, 103.
Distruzione dell'uomo, 67, 111, 119.
Di Pietro, Antonio, 29.
Donna Mimma, 13, 19.
Dono della Vergine Maria, 84.
Dostojewskij, Feodor, 59.
Dovere del medico, 124, 179.

E

E due, 14.
Effetti di un sogno interrotto, 99.
Einstein, Albert, 74.
Elegie Renane, 4.
Enrico IV, 7, 32, 59, 70, 92, 120, 121, 124.
Eraclito, 131.
Esclusa (L'), 4, 5, 26, 124.

F

Favola del figlio cambiato (La), 180.
Fede (La), 55, 84.
Ferrante, Luigi, 10, 137.
Ferrara, Mario, 14, 150, 154.
Figlio cambiato (Il), 180.
Filippone, Vittorio, 165.
Filo d'aria, 119, 124.
Flora, Francesco, 9.
Fortuna di essere cavallo, 115.
Fortunati (I), 1, 48, 51, 52, 53, 87.
Freud, Sigmund, 74.

Fu Mattia Pascal, (Il), 5, 17, 18, 26, 32, 33, 44, 68, 103, 124.
Fuoco alla paglia, 17, 70.
Fuori di chiave, 6, 72.

G

Gancia, Battaglia Giuseppe, 59, 86.
Gautier, Theophile, 59.
Giacalone, Giuseppe, 11, 12, 13, 19, 20, 71, 108, 116, 136, 151, 155, 164.
Giara (La), 13, 19, 179.
Giardinetto lassú (Il), 15, 109.
Giudice, Gaspare, 3, 5, 6, 7, 25.
Giganti della montagna, 8, 28, 116.
Giornata, (Una), 8, 13, 20, 120, 121.
Giuoco delle parti (Il), 124, 180.
Giustino Roncella, Nato Boggiolo, 6, 27, 66, 116.
Gramsci, Antonio, 136.

H

Heidegger, Martin, 128, 130.
Ho tante cose da dirti, 102.

I

Ibsen, Henric, 59.
Idea (Un), 20, 74, 75, 99.
Illustra estinto (L'), 15, 99.
Imbecille (L'), 180.
In silenzio, 15.
Ionesco, Eugéne, 30.
Italia, Federico, 61, 66, 70, 72, 73, 75, 80, 84, 88, 91, 95, 116, 118, 128, 129, 131.

J

Janner, Armino, 20, 41, 60, 62, 80, 81, 82, 150, 164.
Jaspers, Karl, 129, 131.
Joyce, James, 30.

K

Kafka, Franz, 129.

— 193 —

13

Se terminó de imprimir en
la Ciudad de Madrid el día
11 de Marzo de 1979.

stuoia humanitatis

JOHN A. FREY, *The Aesthetics of the* ROUGON-MACQUART. XVI-356 pp. US $20.00.

CHESTER W. OBUCHOWSKI, *Mars on Trial: War as Seen by French Writers of the Twentieth Century.* XVI-320 pp. US $20.00.

MARIO ASTE, *La narrativa di Luigi Pirandello: Dalle novelle al romanzo «Uno, Nessuno e Centomila».* XVI-200 pp. US $11.00.

FORTHCOMING PUBLICATIONS

El cancionero del Bachiller Jhoan Lopez, edición crítica de Rosalind Gabin.

Studies in Honor of Gerald E. Wade, edited by Sylvia Bowman, Bruno M. Damiani, Janet W. Díaz, E. Michael Gerli, Everett Hesse, John E. Keller, Luis Leal and Russell Sebold.

HELMUT HATZFELD, *Essais sur la littérature flamboyante.*

JOSEPH BARBARINO, *The Latin Intervocalic Stops: A Quantitative and Comparative Study.*

NANCY D'ANTUONO, *Boccaccio's novelle in Lope's theatre.*

ANTONIO PLANELLS, *Cortázar: Metafísica y erotismo.*

Novelistas femeninas de la postguerra española, ed. Janet W. Díaz.

MECHTHILD CRANSTON, *Orion Resurgent: René Char, Poet of Presence.*

La Discontenta and La Pythia, edition with introduction and notes by Nicholas A. De Mara.

PERO LÓPEZ DE AYALA, *Crónica del Rey Don Pedro I,* edición crítica de Heanon and Constance Wilkins.

ALBERT H. LE MAY, *The Experimental Verse Theater of Valle-Inclán.*

JEREMY T. MEDINA, *Spanish Realism: Theory and Practice of a Concept in the Nineteenth Century.*

ROBERT H. MILLER, ed. *Sir John Harington: A Supplie or Addicion to the «Catalogue of Bishops» to the Yeare 1608.*

MARÍA ELISA CIAVARELLI, *La fuerza de la sangre en la literatura del Siglo de Oro.*

MARY LEE BRETZ, *La evolución novelística de Pío Baroja.*

DENNIS M. KRATZ, *Mocking Epic.*